突破者の遺言

宮崎 学

K&Kプレス

著者近影

まえがき

敗戦の年に生まれた私も75歳になった。不養生が祟って何度か大病をやり、ここ10年ほどは病院通いが多い。そういう状況の中、2014年から保守言論誌『月刊日本』で「突破者の遺言」という連載を続けてきた。第一回目には、こう書いた。

《「突破者の遺言」というコラムを書くことになった。新連載の趣旨は、死ぬ前に言いたいことを言え、ということだ。どうやら編集部は、宮崎は老い先が短いようだ、どうせくたばるなら引導を渡してやろうという腹積もりのようだ。それならば、こちらも思う存分好き勝手なことを言わせてもらおう、編集部こそ後悔するなよ、と腕まくりせざるをえない。こうして連載を引き受けることになった。

しかし、その時に気づけばよかったのだが、遺言を連載する、というのは一つの矛盾である。遺言は死を前提とする一方、連載は生を前提としているからだ。だが、引き受けた以上は後の祭りである。「命の限り、蝉しぐれ」の覚悟でやらせてもらおう。》

それから6年以上が過ぎた。6年も遺言を連載している自分に我ながら苦笑していたが、ここ数年は体調が優れず、身体が思うように動かなくなってきた。2020年には救急車で運ばれる事態も数回あり、秋からは連載を中断していた。

生を前提とする連載が続けられなくなった以上、私の人生は死を前提に組み換えざるをえない。最近では静養に努め、コロナの影響も相まって社会活動をほとんど停止した。自宅で煙草を吹かしながら「ついに年貢の納め時か」と目を細めていたところに、編集部から「連載をまとめて一冊の本にしたい」という申し出があったわけだ。

まったく、これでは間が良いのか悪いのか分かりやしない。

どうやら編集部は、今度は、いよいよ宮崎は老い先が短いぞ、くたばる前に遺書を出版してやろうという腹積もりのようだった。俺が死ぬのを待っていやがるのか、まるでハゲタカみたいな野郎だと舌打ちしながらも、これまた引き受けることになった。

かくして「突破者の遺言」という連載をまとめて出来上がったのが本書である。

しかしながら、そもそも連載原稿では毎回その時々の思いや考えを書き散らしてきただけである。もちろん体系的な思想などを展開したわけではない。かといって、そのまま時系列に並べるだけではあまりに芸がない。乱雑にもすぎる。そのため、単行本化に当たってはテーマ別に連載原稿を並べ直した。いくつかの原稿は割愛したりタイトルや文章を一部改めたが、いつ書いたものか分かるようにするために執筆した時期は記した。

当然、時系列が前後する箇所はある。２０１９年に新しい天皇が即位したという話をしたと思ったら、２０１６年の米大統領選でトランプが勝ったと話し出すという具合だ。しかしこれは「テーマ別に並べ直そう」と提案した担当編集者の責任であるから、悪く思わないでいただきたい。

本書の中には世間一般の考えとは異なり、読者が訝しむ部分もあるだろうが、「世の中にはこういう考え方をする奴もいるのか」と思ってもらえれば幸いである。もっとも、そもそも世の中とは自分とは違う考えを持つ人間たちの寄せ集めであり、自分と同じ考えの人間はこの世に一人もいない。それを面白がる人でなければ、いまこの本を手に取っていないだろう。

本書が最後の著作になるのかどうかは知らない。だが、私は「毎回これが最後だ」という思いで連載を書き続けてきた。その意味で、やはり本書は私の遺書であり、ここに綴られた文字が私の最後の言葉であることは間違いない。

宮崎学

第一章

国家社会論

2014. 10　連載「突破者の遺言」開始
2016. 06　ブレグジット（英 EU 離脱決定）
　　　11　米大統領選でD・トランプ当選
2017. 04　森友問題に抗議する国会デモ過熱
　　　07　東京都議選
　　　08　第 3 次安倍内閣の第 3 次改造
2019. 11　即位礼正殿の儀

〈世間への反発〉

「突破者の遺言」というコラムを書くことになった。新連載の趣旨は、死ぬ前に言いたいことを言え、ということだ。どうやら編集部は、宮崎は老い先が短いようだ、どうせくたばるなら引導を渡してやろうという腹積もりのようだ。それならば、こちらも思う存分好き勝手なことを言わせてもらおう、編集部こそ後悔するなよ、と腕まくりせざるをえない。こうして連載を引き受けることになった。

しかし、その時に気づけばよかったのだが、遺言を連載する、ということは一つの矛盾である。遺言は死を前提とする一方、連載は生を前提としているからだ。だが、引き受けた以上は後の祭りである。「命の限り、蝉しぐれ」の覚悟でやらせてもらおう。

そこで改めて遺言という言葉を調べた。広辞苑には「自分の死んだあとの事について言い残すこと。また、その言葉」とある。実はこれまでにも、一度ならず遺言を書こうかと思い立ったことがある。

私は昭和20年生まれ、今月で69歳になった。何度か大病をやって、ここ2～3年は病院通いが多い。遺言でもしておくかという気になって、弁護士の友人に相談していたところが、その弁護士が先に逝くという事態が起きた。

俺みたいな生き方をしてきた者は、遺言なんて書くんじゃない、どうせやりっ放しの人生だ、やりっ放しのまま終わりにしろ、ということなのだろうと勝手に納得していたところで、編集部から「遺言を書け」と言われたわけだ。

やりっ放しで終わろうと思っていたものの、やはり突破者として言わねばならないと思うことがある。だから棺桶に片足を突っ込みながらでも、突破者の雄叫びを上げてやろうと、これまた勝手に納得してスタートすることにした。

しかし、その雄叫びは必ずしも遺言とは限らない。雑誌ジャーナリズムでは、タイトルと内容が違うのは常識だからだ。突破者を自負しつつも、その点は常識人として連載を始めたいと思う。悪しからず。

では、いま何が言いたいかというと、やはり自分の人生は何だったのだろうか、という問題にならざるをえない。私の70年間というものは、矛盾した思想と混乱した行動の連続だった。それらは私個人の資質によるものだが、私が生きてきた戦後という時代が反映されている部分もあるかもしれない。

我々の世代は学生運動の世代である。火炎瓶が飛び交い、機動隊とゲバ棒で戦い、催涙ガス対策のために目ん玉にレモン汁を絞るなどという光景は、もはや想像もできまい。いまの世代は「そんな馬鹿なことをせずに済んで幸運だった」と言うかもしれないが、私は「いまの世代には逆立ちしても不可能な経験ができて幸運だった」と思っている。

敵対していた東大全共闘に乗り込んで、彼らの武器である火炎瓶を大量に押収し、それをトラックに満載して東大から早大に向かっている途中で警察に追跡され、気づけば前後5台ずつのパトカーにサイレンを鳴らされながら「止まれ！ 止まれー！」と怒号を浴びせられる中で感じた緊張感、「いざとなったら突っ込んでやろう。とうとう刑務所暮らしか」という諦念、大学までは侵入できず引き返して行った警察を見送った時の安堵感――。こういう感情の味わいは、女のケツを追い回しているだけでは分からないものだ。

我々の世代はこういう世代だった。一端の政治的信条を掲げて政治的行動に出れば、社会的、身体的リスクは避けられない。そこで理性は「リスキーなことはやめておけ」と制止する。確かにリスクは考えた。考えはしたが、考えれば考えるほど、リスクにぶつかるところにこそ意味があるのだという考えに憑りつかれた。こういう性分が原動力となって、紆余曲折を経て突破者を自負してここまで来た。

その間に、私も大きく変わった。だが、それでも70年間私自身の精神の根底にあったもの、いわば「土台」は変わっていない。それは〈世間への反発〉である。その時代の支配的発想、支配的論理、支配的権力構造、左右社会運動の支配的ドグマ……などに対する拒否である。拒絶である。

だから『月刊日本』の読者諸賢とは相容れないことを多分に発言することになるだろうが、ご勘弁頂きたい。突破者とは、そういうものだ。そうしたいわけじゃない、そうせざるをえないのである。

（２０１４年10月）

〈法と掟〉

先日、日経新聞を読んでいたら、「首相、『法の支配』順守を強調」（10月19日付）という記事が目に留まった。安倍首相は世界最大の国際法曹団体「国際法曹協会」の年次総会で「法と正義の支配する国際社会を守ることが、日本の国益であり、日本外交の理念だ」と述べた上で、「法の支配」というキーワードを強調したという。講演全文に目を通したところ、「法の支配」は15回も繰り返されていた。

では、「法の支配」とは何か。

群れて生きる人間には、必ず何らかの規範が必要だ。規範には二種類ある。〈法と掟〉だ。「法」は法律、つまり国家による規範だ。それに対して「掟」はその人間が所属する共同体による規範だ。

「人を殺すべからず」「幼女にセクハラすべからず」など、法と掟は重なる部分もあるが、両者はしばしば矛盾する。たとえば某国を取材したジャーナリストが、政府に虐げられている国民の惨状を目撃したとしよう。この人権侵害を世界に伝えるために写真を撮影したが、それを発表すれば某国の法律に違反し、社会的身体的リスクを負う。一方、発表しなければ掟に反し、ジャーナリスト失格の烙印を押される。こういう時、あなたならどうするだろうか。

実際、こういうことがあった。あるヤクザ者が親分から「敵の親玉をピストルで撃ってこい」と言われ、それに従った。法よりも掟を優先したのだ。その後捕まって裁判になった。裁判官は「それは違法だから断りなさい。断らないあなたが悪い」と言った。なんとバカな台詞だろうか。古今東西、違法だなんてことは百も承知で、法を破らざるをえない人間がいる。これが人間社会の現実なのだが、法はそれを認めないのである。

そのヤクザ者の弁護人は、彼が離婚によって温かい家庭から切り離され、学校教育から落ちこぼれ、ヤクザに行き着いたという半生を語った。ところが、裁判官は「弁護人はあなたの生い立ちを説明しました。しかしあなたと同じような境遇でも、立派に生きた人はいるでしょう。なぜあなたはそのように生きられなかったのですか」と諭したのだ。

だが、そんなこと、答えようがないじゃないか。幸せになりたいと願いながら、不幸にならざるをえない人間がいるように、正しく生きたいと願いながら、間違いだらけで生きていかざるをえない人間がいるのだ。「それはお前が弱いせいだ。自業自得だ」と言われれば、確かにその通りである。正論だ。しかし、人は正論だけで割り切れないのだ。

人間は強く清く正しく美しいことを善とするのだが、それと同時に、どうしようもなく弱く醜く愚かだ。我々はそういう人間性を全部ひっくるめて背負って生きている。裁判官は「正しい者が間違った者を裁く」という顔で正論を振りかざすが、裁判官もヤクザも、不完全な人間の一人にすぎない。

法（国家）は論理の世界である。理とは、ことわりだ。非合理的な人間というものを、バサバサと割り切っていく。それに対して掟（共同体）は情の世界である。情とは、理無きもの、割り切れないものだ。だから弱さ、醜さ、愚かさを受け止めた上で裁定する。国家は排除するが、共同体は抱き締める。

だから私は法よりも掟の方が大切だと考える。というか、本能的に掟の方が好きなのだ。思考実験として、法だけの社会と掟だけの社会、どちらかを選べと言われれば、迷わず後者を選ぶ。

法治国家の理想は、全国民が法律に従う善人だけの世界である。そこに人殺しや泥棒は存在しない。だが、不完全な人間にそんな完全な社会を築くことはできない。ユートピアを目指した共産主義国が、どれだけ非人間的でグロテスクだったか思い出すがよい。人殺しや泥棒がいようとも、そういう人間的な社会の方が明るくて温かいだろう。

しかし、現代は人々を抱きかかえる共同体が崩壊した「掟なき時代」だ。その空白に国家が「法の支配」を引っ提げて、「俺の言うことを聞け」と言いながら、我が物顔で乗り込んできている。

その象徴が安倍の冒頭発言である。彼は〈法と掟〉など、考えたことすらないのだろう。お坊ちゃまは無邪気に「法の支配」と宣い、法治主義的な道徳観を振りかざすが、その先にあるのは合理的だが、無機質で、無表情で、冷たい無菌社会である。

（２０１４年11月）

〈国家社会〉への抵抗

8月3日、内閣改造が行われた。下降の一途を辿る政権支持率の回復が期待されていたが、効果は限定的である。

それにしても内閣改造は茶番にしか見えない。毎度、大臣候補の政治家が総理からの電話を待ち構える姿が放映され、「待機組何人」と報道される。

どうでもいいことだ。なぜ大臣になどなりたがる人間がいるのか、いつも不思議なのだが、所詮は「飾り」の話である。人間としての真価とは何の関係もない。自分は総理大臣だ、金持ちだ、勝ち組だと「飾り」を見せつけられても、私には「あっそう」としか言いようがない。

ここまで書いて、こんな茶番を論じる空しさを感じざるをえない。この空しさがどこから来るかを論じた方がよさそうだ。

もともと政治はつまらないものだが、最近は絶望的につまらない。言葉に血が通っていない。白々しい綺麗事ばかりだ。「命懸ケデ職務ヲドウノ国民ノ生命財産ヲドウノ、説明責任ガウンヌンカンヌン、誇リダノ平和ダノ」。国家が喋る言葉は日常生活とかけ離れている。「人ヅクリ革命」など意味不明ではないか。避妊禁止の立法化でもするつもりなのか。

国家の口は抽象的空言を垂れ流すだけだ。しかし、その手は具体的暴力を握っている。国家は「お前ら、北朝鮮やテロリストが恐いだろう。俺がお前らを守ってやる。だから手間賃を出せ」という理屈を吹っ掛けるや、われわれの財布に手を突っ込んでミカジメ料を分捕っていく。

それを拒んだら捕まり、「国家の言うことを聞かなかった罪」で豚箱にぶち込まれる。法とは国家が勝手に押しつけたものにすぎず、納税とは恐喝やカツアゲを上品に言い変えたものにすぎないのである。

私も若い頃は社会主義革命にのぼせて、うっかり自分が一番嫌いな窮屈極まりない社会を作ってしまうところだったが、もはやそんなウブな考えもない。私はもう、国家というヤクザ者と関わり合いになりたくない。国家も政治もどうでもいいという気がしている。

「非国民」「不届き千万」と言われそうだが、生憎、国家という屋根の下でこそ人間は安全かつ幸せに生きられるという物語を信じるには、歳をとりすぎたようだ。そういう抽象的な国民国家、あるいは市民社会のしがらみには、もはや面倒くささしか感じない。

社会の言葉も血が通っていない。セイギ、ドウトク、ジョウシキという抽象的かつ人工的な概念で、何でもかんでも杓子定規に説教をする。「便所ニ行ッタラ手ヲ洗イマショウ」程度のことを鬼の首を取ったように説教し、やれ犯罪者だの悪人だの非常識だのピーチクパーチクさえずり回る。

確かに常識や道徳は社会を成り立たせるには必要だろうが、それに唯一絶対の価値を置く必要はない。そんな脳みそが考え出した拵え物よりも、殴られたら痛い、刺されたら血が出る、こういう肉感性を信じる方がいいだろう。

国家や社会の論理に引きずられて、人間関係そのものも歪んでいる。「独立シタ個人ノ人格ヲ尊重シマショウ。オ互イニ話シ合イマショウ。他人ニ迷惑ヲカケテハイケマセン」。

何を言っているのか。人間の関係とは、お互いに迷惑をかけあう関係のことだ。それが人間の証ではないか。義務的・儀礼的な形式のために謝る筋合いはない。それこそお互い様だ。いまは国民にしろ市民にしろ、どいつもこいつもお利口さんばかりで、息苦しいったらありゃしない。

私は国家も社会も、法も常識も嫌いである。「お前は国家や社会が成立しなくていいと言うのか」という声が聞こえてきそうだが、私はそれでいいじゃないかと思っている。外国が攻めてきた時に軍隊がなかろうが、火事の時に消防車が来なかろうが、一向に構わない。

私はただ自分が好き勝手に生きたいという、ささやかな願いを持っているだけだ。縄張りに掟があれば十分である。私の縄張りに土足で踏み込み、掟に反する決まりを押しつけるものがあれば、国民国家であれ市民社会であれ資本主義であれ、それに抵抗する。〈国家社会〉への抵抗がなければ掟は守れない。首輪などつけられてたまるか。

それなら、なぜお前は『月刊日本』で政治問題を喋っているのかって？　なに、簡単なことだ。友人のために一肌脱いでいるだけである。言ったではないか。人間の関係とは、お互いに迷惑をかけあう関係なのだと。そして、それこそが人間の証なのだと。

（２０１７年８月）

〈変な人たち〉がこの国を動かす

連日、国会前や官邸前で安倍の退陣を求めるデモが起きているが、警察に管理されて窮屈そうだ。こういう時、代議制民主主義の化面がはがれ、警察の本性がむき出しになる。警察は国民を守るのではなく、国民から国家権力を守っているのだ。

国家と国民は本来的には敵対している。国家は民衆が楽しく暮らしているところに土足でやって来て、「ここは俺の縄張りだ。お前らは俺の国民だ。ミカジメ料をよこせ」と言い出す。それを拒めば警察がやって来て、国家の言うことを聞かなかった罪で豚箱にぶち込むというわけだ。

しかし、これでは国家はいつ国民に寝首をかかれるか分からない。そこで国家は自己を正当化するために、「仮想の敵」を用意する。「お前には敵がいる。その脅威が迫っている。しかし俺がお前を守ってやる。だから安心しろ」というわけだ。

日本では伝統的に中国や北朝鮮が「仮想敵国」ということになっているし、国内的にはヤクザや右翼・左翼の過激派、テロリストなどが「社会の敵」ということになっている。

こういう次第で、警察は常に「社会の敵」を必要としている。悪の組織がいなければ、正義の味方は存在意義を失うからだ。

現にこれまで警察は「社会の敵」を口実に肥大化してきた。戦後の警察権力はまず左翼過激派を標的にしたが、昭和のうちに左翼はほとんど鳴りを潜めてしまった。次はヤクザを標的にして暴対法や暴排条例を施行したが、そのせいでヤクザはほぼ絶滅危惧種になってしまった。そこで今度はテロリストを標的にして特定秘密保護法、共謀罪、迷惑防止条例の改正に踏み切った。しかし、これらは運用次第でどうにでもなる代物だ。

私の実体験から言えば、警察こそ「社会の敵」だ。ちょっとスピードを出しすぎたらサイレンを鳴らして追っかけてくるし、道端で素手の喧嘩をしただけで取り押さえにくる。悪徳企業に街宣をかければ追い払いに来る。

しかし、警察が街宣を自作自演することもある。まず警察が右翼や左翼をけしかけて街宣をさせる。次に企業の相談をうけて街宣をやめさせる。最後に企業に恩を売って、街宣対策を担当する企業の総務課に再就職先を確保する。こういうカラクリである。

警視庁はキャリアの再就職先は発表しているが、ノンキャリは発表していない。キャリアより面倒を見るのが難しいノンキャリの再就職先こそ、警察利権の温床になっているはずだ。

何より警察は国家と国民の喧嘩を邪魔する。国民が国家の不正を正す時、最大の壁になるのは警察だ。

現に官邸前や国会前では、文字通り警察官が壁になって国民のデモ行進に立ちはだかっている。時には警察官が市民の背中を押して別の警察官にぶつけ、その瞬間に「コーボー！」（公務執行妨害）と言って自作自演の逮捕劇を演じることすらある。

しかし悲しいかな、世間は国家の不正を正すためにデモに駆けつけた連中の方を白い目で見るのだ。むしろ政治家や警察官に「ウヨクやサヨクの変な人たちに絡まれて可哀そう」と同情する始末だ。

だが、私は世間に言いたい。この国は〈変な人たち〉こそが動かしてきたのだ、と。そして〈変な人たち〉に言いたい。諸君がこの国を動かしてきた、少なくとも動かそうとしてきた、その自負心を忘れてはならない、と。

国家権力に反抗して喧嘩を売る者は向こう傷を避けられない。身銭は切る。時間はかかる。身体は疲れる。世間は冷たい。時には逮捕される。有罪になる。豚箱にぶち込まれる。最悪は死刑だ。

こういうことを言うと、「中国、北朝鮮を見てみろ。日本で反権力などチャンチャラおかしい」などという奴がいる。だが、ある意味で日本の国家権力はより悪辣なのだ。確かに中朝の弾圧は苛烈極まりないが、それだけ分かりやすい。

一方、確かに日本の弾圧は中朝のように露骨ではないが、それは真綿で首を絞めるからであり、それだけ分かりにくい。国家の圧力が量的に弱い分だけ、国民の抵抗は反発力を失う。

その結果、我が国の有様はどうだ。日本人は権力の不正に慣れ、怒りを忘れ、飼い慣らされているではないか。権力の不正は正されず、うやむやにされ、繰り返されているではないか。権力に牙を剥く狼を嗤う者は、自らが牙を抜かれた家畜であることに気づくべきだ。

（2018年4月）

〈ポピュリスト党〉と〈空気〉の研究

都議選で都民ファーストの会が圧勝した。公明党と組んだ都民ファは200万票を得たが、この数字は学会票をはるかに上回る数字である。「風＋組織力＝ポピュリズム党（大衆迎合党）」。分かりやすい図式だ。ある程度の組織力を持つ政治組織が「風」を掴めば、ポピュリズム党として第一党に躍り出る。

このように21世紀の政治ではポピュリズム党による政権交代が繰り返されている。「小泉チルドレン」、「小沢ガールズ」、「橋下ベイビーズ」、そして「小池チルドレン」。ざっと、こんなところだ（郵政選挙や今回の都議選は狭義の政権交代である）。

当初、小選挙区制を導入する謳い文句は、二大政党がマニュフェストに基づく政策論争を通じて政権交代を可能にするというものだった。ところが蓋を開けてみたら、小選挙区制はポピュリスト党が何も政策を訴えなくても「風」で政権交代を可能にする制度だったというわけだ。

ポピュリスト党の政治理念は大衆に迎合することであり、政策判断の基準は大衆ウケがいいかどうかである。

たとえばポピュリスト党の党首にとって、市場の場所は築地だろうが豊洲だろうが、どちらでもいい。自分の権力を最大化するために、都民が望む方に決めるだけだ。都民が築地と豊洲のどちらを望んでいるか分からなければ、判断を延期する。その結果、都民はどっちでもいいのだと分かれば、どちらも選ぶ。つまり、どちらも選ばないで「築地は守る・豊洲は活かす」と言えばいい。

ポピュリスト党は大衆に迎合する。それでは大衆は何に迎合するのか。また大衆の動向を左右するマスコミは何に迎合するのか。「風」ではない。風は結果であり、原因ではない。

風の原因は何か。「空気」あるいは「雰囲気」「ムード」である。ポピュリスト党、大衆、マスコミの関係はお互いに三すくみしており、その中の誰かが意思決定権を握って物事を動かすわけではない。彼らはお互いに空気を読み合い、空気に動かされているだけで、空気を操作することはできない。

山本七平はかの有名な『「空気」の研究』で、「至る所で人びとは、何かの最終決定者は『人ではなく空気』である、と言っている」と述べている。いわば日本の主権者は空気であり、日本は空気主権国家なのである。

だが、主権者たる空気には実体がない。意志もなければ欲望もない。ただ何となく存在しているだけだ。

日本人は戦前空気に逆らえず何となく戦争を始め、戦後は空気に逆らえず何となく民主主義を採用している。日本の政治に論理的根拠はない。空気という根拠なき根拠があるだけだ。

空気が右に揺れるか左に揺れるかは分からない。空気は操作できないからだ。しかし一度傾けば、空気はポピュリズムを演出し、さらにはファシズムを生み出す。空気は独裁者であり、反対者を許さないのだ。

現在の日本は、空気が右か左か決定的に傾いていない過渡期だが、どちらかに傾けば、一気に右傾化、左傾化する危険がある。その意味で、現代は大日本帝国が右傾化した坂を転がり落ちる寸前の１９３０年前後に似ていると言える。

今後、空気がその威力を致命的に振るうのは、憲法改正の国民投票だろう。その時、国民は「何となく良いかな」、「何となく嫌だな」という空気で投票するに違いない。そこで改憲派、護憲派の憲法論議が力を持つことはあるまい。

現状では日本人は「自民党、感じ悪いよね」「戦争は嫌だよね」という空気に流されて、改憲に反対する可能性が高い。だが、結果如何に関わらず、戦後70年以上の議論を抜きに空気で定められた憲法を私は受け入れたくない。

しかし、私以上に受け入れられないのは自衛隊だろう。仮に安倍がぶち上げた、憲法９条に自衛隊の存在を明記する３項を加える案が否決された場合、自衛隊は憲法上の根拠を手に入れるチャンスを失う。それどころか存在そのものが違憲になりかねない。

その時、自衛隊は決起するか、クーデターを起こすか。だが、自衛隊の真の敵は空気である。空気が相手では小銃も大砲も効き目がない。空気に効く武器は一つだけだ。水である。水を刺すのだ。だから私はこれからも本欄で社会の空気に水を差したいと思う。

（２０１７年７月）

〈天皇陛下万歳〉の耐え難い空虚さ

即位礼正殿の儀、国民祭典、祝賀パレードなど即位に伴う皇室行事が続いたが、私は白々しい気持ちで一連の報道を眺めていた。そこに漂うある種の空虚さが癪に障った。

本来、天皇の問題は生き死にの問題に直結する。日本人が天皇の問題を考えれば、「天皇のために命が懸けられるか」という問いに行き着く。

だが、天皇の即位に対する祝賀にこのような切実な問いは皆無だった。国民は個人として天皇と向き合うことなく、大衆として祝賀イベントに参加したにすぎない。空気に追従し、世間に同調し、長い物に巻かれたにすぎない。それゆえ、国民は真に天皇の価値を認めているわけではない。

その意味で現在の天皇支持は本質的にはニヒリズムである。真の敬愛もなければ真の熱狂もない。だからこそ一連の行事は単なる空騒ぎに終わったのだ。この空虚さはニヒリズムの空虚さである。それが癪に触って仕方がない。

私は反天皇の立場である。昭和天皇は戦争責任を取らず、沖縄メッセージに示されるように沖縄をアメリカに差し出した。また、私は「人間は平等である」という理念を抱いているが、天皇の存在はこの理念に反する。それゆえ、私は天皇及び天皇制を支持しない。天皇のために命を懸けることはできない。

それでも、私は個人として天皇の存在と切実に向き合ってきた。だから、現在のような熱狂の仕方は気に入らない。

大衆としての熱狂は無責任な便乗にすぎない。熱狂の対象に心服しているわけではない。それは真の熱狂ではない。天皇に熱狂するならば命懸けで熱狂しろという苛立ちがある。〈天皇陛下万歳〉は耐えがたいほど空虚に響く。

テレビではアナウンサーやコメンテーターが祝辞を述べた。国民祭典では芸能人やアイドルが前面に立って祝賀した。国民は大いに盛り上がった。だが、それは空気（ムード）に流され、流行（ブーム）に乗った結果にすぎない。

国民にとって天皇は芸能人やアイドルとどう違うのか。国民祭典や祝賀パレードは芸能人のイベントやアイドルのコンサートとはどう違うのか。さらに言えば、国民祭典で「天皇陛下万歳」を連呼していた国民大衆は、北朝鮮で「将軍様万歳」と連呼している人民大衆とどう違うのか。そこに本質的な差異はないように見える。「日本の天皇とはこの程度の存在だったのか」と思わざるをえない。

テレビは皇室特番を組んだ。しかしテレビにとって天皇は畏敬の対象ではなくビジネスの対象であり、視聴率の取れる「商品」だったのではないか。三島由紀夫が批判した「週刊誌天皇」は「テレビ天皇」「アイドル天皇」になったかのようだ。

天皇自身も空気や流行を利用しているのだろう。それはやむをえないことかもしれない。戦前の天皇は軍（物理力）、国体神話（精神力）、皇室財産（経済力）という権力基盤を有していたが、敗戦後の天皇はそれらを失った。

それゆえ、戦後の天皇は社会的空気や国民的人気、すなわちポピュリズムを権力基盤とせざるをえない。戦後の天皇は本質的にポピュリストであり、戦後の天皇制は本質的にポピュリズムなのではないか。いわば「天皇制ポピュリズム」である。

そうだとすれば、天皇がお祝いムードや皇室ブームを利用して国民の人気を得ようとするのは当然である。平成から令和への即位改元によって、天皇は権力としての空気をほぼ完全に掌握した。

天皇の権力は強化されたように見えるが、空気に基づく権力は空虚かつ不安定である。現に秋篠宮家はバッシングの対象になりつつある。

戦後の「天皇制ポピュリズム」は、やがて戦前の「天皇制ファシズム」に回帰するのだろうか。ファシズムの原義が「束ねる」という意味であることを踏まえれば、今後天皇が「国民統合の象徴」として国民を束ねる動きが強まる可能性は否定できない。「統合」を「結束」と言い換えるならば、そもそも天皇は本質的にファシスト（統合者・結束者）ではないか。

しかし、現在のような無責任な大衆の熱狂が「天皇制ポピュリズム」を「天皇制ファシズム」に発展させるならば、それは国家国民に良い結果をもたらさないだろう。天皇主義者であれ反天皇主義者であれ、いま我々がなすべきは安易に天皇を支持する空気に水を差し、無責任な大衆の熱狂を批判すること、これである。

（２０１９年11月）

〈分断と対立〉を取り戻せ

世界は〈分断と対立〉の時代に突入したようだ。あらゆるところで分断と対立が起こり、そこから様々な社会運動が生まれている。

中東のアラブの春運動、イスラム国運動、香港の雨傘運動、台湾のヒマワリ運動、韓国のキャンドルデモ、東欧の移民排斥、米トランプ現象、英EU離脱、仏パリ暴動、独ネオナチ台頭……。大いに結構である。

一般的に分断と対立は望ましくなく、融和と共存こそ望ましいとされる。だが、分断と対立は運動そのものだ。運動は社会を活性化させる。分断と対立は社会の原動力なのである。

かつてレーニンは「対立物の統一」と言った。様々な解釈がありえるが、ここでは対立に対して統一の運動があり、統一に対して対立の運動があると解釈したい。

「対立物の統一」と「統一物の対立」は表裏一体であり、統一と対立の関係があるからこそ、そこに運動が生まれる。運動は生であり、停滞は死である。

分断と対立は社会運動を産み出す。分断と対立は社会運動の母であり、それに伴う困難は産みの苦しみである。社会運動は人々の力であり、社会のエネルギーそのものだ。それは既存の社会を破壊する起爆剤にもなれば、新しい社会を建設する創造力にもなる。

世界では分断と対立が社会運動を続々と生み出している。だが、そのような動きは日本では全く見られない。確かに冷戦後、資本主義対社会主義という大きな対立は消滅した。だが、それは日本だけではなく世界も同じである。

それでは、現在の分断と対立はその国の事情から生まれているのか。

韓国はその一例に思える。韓国は対外的に北朝鮮と対立し、国内的にも地域的な分断が激しい。しかし韓国はそれにもかかわらず、否、それゆえに大きな力を発揮している。

韓国は大々的な反政府運動で朴槿恵政権を打倒し、再び文在寅政権へのデモが起きている。日本人はしたり顔で「韓国はまだそんなことをやっているのか」と嘲笑しているようだが、それは韓国人の元気、韓国社会のエネルギーがいかに大きいかを象徴しているのだ。

現に韓国は北朝鮮外交で独自の国際的役割を果たし、経済的にも日本との距離を縮めている。民族の分断、国家の分裂が、韓国発展の原動力になっているのではないか。日本は韓国をあざ笑う前に、自らの無力性を嘆くべきだろう。

それでは、日本に分断と対立はないのか。

否、日本にも原発問題、沖縄の基地問題、格差の問題が存在する。だが、そこから大きな運動は生まれない。なぜか。最大の原因は新自由主義が日本社会にバラまいた「自己責任論」にある。

日本社会にも分断と対立が生み出したエネルギーは溜まっている。だが、自己責任論はそのエネルギーを自己や身内に向ける。ノイローゼ、自殺、いじめ、虐待、DV、家族同士の殺人などは、鬱屈したエネルギーが自己責任論の理路にしたがって内向きに噴出した結果ではないか。

次に、自己責任論は鬱屈したエネルギーを他人に向ける。見知らぬ誰かを悪者に仕立て上げ、正義の味方として「お前の責任だ。お前が悪い」と自己責任論を振りかざすことは、歪んだ正義感や優越感、自己肯定感を満足させる。

何より自己責任論は鬱屈したエネルギーが国家や社会に向かうことを逸らす。ある人が貧困に苦しむのは本人の努力不足のせいであって、社会の構造的問題や国家の無為無策のせいではない。自己責任論は国家や社会の責任を免罪し、社会運動の発生を阻むのである。

その結果、左右問わず社会運動は停滞している。まさに無風状態である。このような無抵抗社会で、政治権力は好き勝手にやっている。その意味で自己責任論は権力のためのロジックである。

自己責任論によって国家や社会の責任は個人の責任にすり替えられ、分断や対立が誤魔化されている。もっと言えば、なかったことにされている。我々はこの自己責任論をぶち破り、分断と対立、運動を取り戻さなければならない。

そのためには逆説的だが、自己の責任ではないことを自己の責任として引き受けなければならない。国民の一人あるいは社会の一員として「それはお前だけの責任ではない。俺の責任でもある」と宣言する人間が出てきて、初めて運動は生まれ、分断と対立が統一へ向かうのである。


（２０１９年5月）

第二章 暴力論

2014.	06	「イスラム国」樹立宣言
	09	米軍によるシリア空爆開始
2015.	08	第二次世界大戦後 70 年
	11	パリ同時多発テロ事件
2016.	01	サウジとイランの国交断絶
		北朝鮮による水爆実験
	07	相模原障害者施設殺傷事件
2019.	05	川崎児童殺傷事件
	06	元農水次官長男殺害事件
	07	京都アニメーション放火殺人事件

流砂の如き〈さざれ石の巌〉

有史以来、人間は飽くことなく暴力を振るってきた。来る日も来る日も世界のどこかで銃口が火を吹き、日本のどこかで殺人事件が起きている。

一般に暴力は国家の暴力と民間の暴力に区別される。マックス・ウェーバーは「主権国家は暴力を独占するものである」と喝破した。左翼の言葉でいえば、「暴力装置」というやつだ。

とはいえ、現代社会において殊更強調されるのは、民間の暴力である。曰く、いじめ、体罰、家庭内暴力、虐待、殺人事件……。

殺人事件の発生件数は、戦後間もなくピークに達した後は漸減を続け、１９９０年代以降は年間１１００～１２５０件程度で推移、２００９年以降は１０００件を割り込んでいる。

だが、時代を経るにつれて殺人の内容は変質している。かつては金銭的理由による殺人、あるいは喧嘩の結果としての殺人が多かったが、最近は家族同士の殺し合いが増えている。親族間殺人は２０００年代半ばまで40％程度で推移してきたが、それ以後は上昇に転じ、２０１３年には50％以上にまで上っている。

疑似家族であるヤクザも敵対組織との抗争よりも内部抗争に傾いている。また家庭内暴力や虐待の件数はうなぎ上りで、毎年過去最多記録を更新している。

かつて家庭は暴力から避難するシェルターだったが、いまやそのシェルターこそが最大の危険地帯と化している。社会（共同体）の最小単位としての家族の崩壊は、取りも直さず社会そのものの崩壊を意味している。

共同体の崩壊と暴力の内向化、暴力の蔓延は無関係ではあるまい。世間に噴出する暴力は、日本社会の病巣を表している。

ホッブスは『リヴァイアサン』で、万人の万人に対する闘争を止揚するために、個々人が自らの暴力を国家に預けることで平和を達成するという思考実験を行った。確かに国家は法によって、共同体は掟によって個人の暴力を管理・利用する。個人の暴力は国家あるいは共同体といった集団に結集され、抑制される。

だが、一度集団が崩壊すれば、集団に預けられていた暴力は個人の手に戻される。暴力の主体は集団から個人へ移行する。個人は法や掟を持てぬがゆえに、欲望のままに暴力を振るう。

確かに現在でも日本国家の法は機能しているが、もはや日本社会の掟は機能しない。いまや個人の暴力は掟という歯止めを失い、ほとんど制御不能に陥っていると考えて差し支えあるまい。現在の日本は、国家があるにもかかわらず、万人の万人に対する闘争が起きているのではないか。

無論、人間存在は他者との関係性の中で存在している。言いかえれば、人間存在は他者なしに存在しえない。それゆえ共同体が崩壊したとはいえ、共同体と完全に無縁な個人は存在しえないが、限りなく無縁に近い個人が大量発生している。我々は人間関係の瓦礫に佇んでいる。

その結果、共同体の問題を共同体で解決することができなくなっている。家庭や学校に警察が入る事件はザラだ。

もともと共同体で発生した人間関係のトラブルは、利害の調整を通じて共同体内部で解決してきた。そのため共同体からの追放は、その人間の社会的生命を脅かすことゆえ、処罰は慎重に粘り強く決められた。

しかしいまはそういう難しく面倒で手間のかかることはやらずに、警察や司法という国家権力を引き入れて、手っ取り早く処理している。そして初めから問題はなかったことにする、元々そんな人間はいなかったことにする。かつては組員の処分に激論を戦わせていたヤクザですら、最近は情状酌量の余地なく機械的に処理している。

共同体が崩壊した原因の一端は、新自由主義にあるだろう。

新自由主義は経済合理性のみで動く人間を「評価」する。経済合理性に反する家族愛や友情、同胞意識で動く人間は間違った存在と規定する。新自由主義が個々人の競争を煽ることで、日本社会の人間関係を金銭的関係に置き換え、共同体を崩壊させたことは否めない。

〈さざれ石の巌〉は、流砂の如く崩れ去りつつある。日本社会はバラバラになり、求心軸すら見当たらない。我々は瓦礫まみれの日本社会を再建することができるだろうか。不可能ではないかもしれないが、至難の業であると言わざるをえない。だが、我々はその難業を成し遂げなければならないのである。

（２０１６年３月）

〈喧嘩の話〉

さて、何を書こうかと思案しながら煙草を吹かしているわけであるが、頭を回して小難しいことを論じる気分ではない。こういう時は、手が動くに任せて筆を進めるに限る。

そういえば、最後に喧嘩をしたのはいつだったたか。確か数年前だ。道をふさいで喧嘩している不良に出くわして、通行人が迷惑していたから、いきなり横っ面を引っ叩いてやった。

そいつらは驚いてすごすご退散していったが、この出来事はショックだった。相手を殴ったあとでキョトンとした顔をされたのは初めてだったのだ。「俺の力も衰えたものだ……」と肩を落とさざるをえなかったが、「いや、この年になっても『一丁、引っ叩いてやろう』という気持ちが湧いてくるのは悪くない」と一人で合点することにした。

振り返ってみると、子供から大人になるまで私の人生は喧嘩三昧だった。ほとんど忘れているが、まあ思い出すままに〈喧嘩の話〉を書いてみようか。

子供の時分はよくいじめられている奴のために喧嘩をした。その中の一人に、在日韓国人の女の子がいた。

彼女の家族は橋の下に住んでおり、どうやって糊口を凌いでいたのかは分からないが、どうにもならなくなると親がウチの母親に泣きついていた。母親は「日頃の生活に困るほどお金がないのは、あんたが悪い」と言いながら、鍋を丸ごと渡していた。本当に困っていれば誰でも助けていた。

自然、私もいじめられている奴がいれば誰でも助けた。しかし、それは私が善良だったとか良心的だったとかいうわけではない。私はいじめっ子をいじめて楽しんでいたのである。

小学校四年生の時、どうしても許せないガキ大将がいた。ところが、こいつが強かった。身体がでかくて正面から挑んでも勝てない。試行錯誤の末、最後は一対一の勝負でボコボコにしたが、後日母親と一緒に先生から説教を食らった。それが終わった後、母親に小突かれた。「勝ったか」「勝った」「ほんならええわ」。この時の母親は粋だった。

しかし、喧嘩というものは成長するにつれて派手になっていくものだ。小学校高学年、中学生にもなればあそこに毛も生えてくる、身体もでかくなる、年上の喧嘩相手も格段に強くなる。そのあたりから道具を持つようになった。小学校五年生の時に初めてナイフを握った時の感触はいまでも覚えている。「これで誰にも負けない」という高揚感に包まれたものだ。

ところが、学生運動になるとまた話が変わってくる。それまではお互いに自分のための喧嘩だったが、学生運動は集団のための喧嘩だった。

だから少人数同士の喧嘩もあれば集団同士の抗争もある、タイマンもあればリンチもある、道路での闇討ちもあれば下宿先への不意打ちもある、一回の喧嘩でケリがつかないから復讐合戦が延々と続く、とこういう具合で休む暇もない。それでもほとんどの相手はそれまで机に向かって勉強に励んできた喧嘩の素人ばかりだから、一度も負けはしなかった。

集団戦の前には作戦を立てる。この時、多弁な奴は危ない。恐怖を誤魔化したり浮足立ったりしていて、土壇場で何を仕出かすか分からない。無口な奴も危ない。緊張していて作戦を覚えていなかったり、納得していなくて途中でいなくなったりする。私の目を見て一言「分かりました」という奴は大丈夫だ。きちんと役割を果たして最後まで戦う。

集団戦では先手必勝、先に血を見せた方が勝ちだ。相手が能書きを垂れている間に鉄パイプか角材で相手の頭をパコッとやれば、傷は浅くてもパッと血が出る、あるいはピューッと血が吹く。すると、相手は一斉に怯む。その隙に攻め込むもよし、逃げるもよし。少なくとも負けはない。ただ喧嘩の素人は加減を知らないから、時には死人が出た。

その点、ヤクザの喧嘩の方がずっといい。一回の勝負でケリがつくし、何よりサッパリしている。

こう書いてみると、我ながらよく人を殺さずに生きてこられたものだとつくづく思う。死人が出る場面にも何度か遭遇したが、幸い自分が殺し殺されることはなかった。しかしそれは運が良かっただけで、一歩間違えば人殺しになっていたはずだ。

殺すか殺さないかは紙一重だ。その一歩、その紙一重に対する自覚だけは生涯忘れてはならないと感じている。

（２０１９年９月）

相模原事件に漂う〈無臭性〉

7月26日未明、相模原市の障害者施設で惨劇が起きた。19人死亡、26人重軽傷という日本犯罪史上、稀に見る凶悪事件だ。

この事件の異常性は、そのバーチャル性にある。もともと人殺しというのは、生々しく肉感的で、もっと言えば愛憎を伴う情感的なものである。

確かに次々と包丁を突き刺すという犯行は非常に現実的かつ肉感的だ。しかしパトカーの窓からマスコミに笑みを向ける犯人には、人殺しに伴うべき情感が欠落している。犯人は返り血のむせ返るような匂いを嗅いでいない、返り血のべっとりとした重みを感じていないに違いない。

それゆえ、この事件には血生臭い犯行に反して、ある種の無臭性が漂っている。その無臭性が、まるでゲームの世界の出来事のようなバーチャルな印象を生んだのだろう。

このような逆説性は、犯行動機の不明確さにあるだろう。たしかに犯人は事前に衆院議長に差し出した犯行声明の中で、動機らしいことを語っている。

「私は障害者総勢470名を抹殺することができます。……理由は世界経済の活性化……今こそ革命を行い、全人類の為に必要不可欠である辛い決断をする時だと考えます。日本国が大きな第一歩を踏み出すのです。世界を担う大島理森様のお力で世界をより良い方向に進めて頂けないでしょうか。是非、安倍晋三様のお耳に伝えて頂ければと思います」。

ここには無駄の排除、つまりコストカットという新自由主義的な発想がある。しかも犯人は国家が自らの行為を正当化することを求めている。「障害者の排除は、安倍政権が進める新自由主義政策の延長線上にある『政策』である」という考えが潜んでいる。

無論、この事件はアベノミクスが生み出した事件ではないが、新自由主義的な時代の歪んだ産物であることは否定できまい。

無駄の排除は同時に非国民・弱者・マイノリティの排除である。犯人が「ナチスの思想が降りてきた」と話していたように、ナチス的な優生学の発想である。

新自由主義的かつ優生学的な風潮は、何もこの事件に限ったことではない。生活保護バッシング、在日韓国人に対するヘイトスピーチ、欧米における移民排斥など、全てに通底する現象である。

だが、この種の新自由主義的かつ優生学的な考え方――コストをかけている人間やマイノリティの人間を排除して健常者だけの社会を実現する、それこそ健全で理想的な社会だとする思想――は、根本的に間違っている。人間社会はコストやマイノリティを抱えることで成立するものだからだ。

障害者、老人、在日外国人、犯罪者のいない綺麗な社会ほど醜い社会はない。健常者のみの社会ほど不健全な社会はない。何より新自由主義にしろ優生学にしろ一億総活躍社会にしろ、恣意的な基準で人間を格付け、命を取捨選択すること自体が傲慢極まりない。

しかし、ここで私は疑念を抱かざるをえない、「本当に新自由主義や優生学が事件の動機なのか」と。それらは抽象的な理屈にしか聞こえない。それゆえ抽象的な動機と具体的な犯行とが乖離し、事件全体に地に足がついていない印象を、私の言葉でいえば無臭でバーチャルな印象を与えているのではないか。

もし私の前で犯人がこのような抽象的な理屈を並べたならば、私はこう言うだろう、「お前の考えに従えば、お前こそが社会的なコストだろう」と。

自己顕示欲の強い男がそれを後付けの理屈で覆い、独善的な自己表現に走ったにすぎない、それが事件の本質である――私にはそう見える。

そして犯人を批判する日本社会もまた程度の差こそあれ同類だろう。日本社会は殺人以外の形で緩やかに弱者やマイノリティを排除しているからだ。

事件の数日後、私は現場の障害者施設に足を運んだ。空気の綺麗な山中で、風光明媚という言葉が浮かぶ、人里離れた田舎である。誤解を恐れず言えば、一般社会から隔離された姥捨山のようである。

本来ならば彼らも一般社会の中で共に生活できるような環境を整えるべきだ。確かにそれは多くの社会的摩擦を生むだろう。それでもなお、そのような摩擦に耐えうる共同体を目指すことこそが、新自由主義や優生学という悪しき時流を克服する道なのである。

（2016年8月）

〈悪に対する自覚〉の欠如

5月28日、川崎で小学校の児童とその保護者らが殺傷される事件が起きた。それが引き金となり、6月1日に元農水次官の父親が息子を刺殺する事件が起きた。一連の報道に接した瞬間に頭をよぎったのは、「弱い者が自分よりも弱い者をやりやがった」という直感だった。

川崎の犯人は20名を殺傷後、その場で自殺した。犯人は引きこもりだったという。巷間には様々な言説が溢れているが、その本質が弱い者いじめであることは変わらない。その矛先は決して自分より強い者には向かわない。

これは卑怯者の所業である。犯人はそれを自覚していただろう。それだけに質《たち》が悪い。だが、この質の悪さは日本社会全体にはびこっている。

現在の日本は新自由主義社会であり、弱肉強食の原理で回っている。強者は弱者を食い物にし、弱者はさらなる弱者を食い物にする。弱い者いじめの連鎖である。

だが、それは肯定される。喰われるのは自己責任だからだ。強弱勝敗の結果は自己責任論によって正当化され、弱者・敗者がどこで野垂れ死のうが知ったことではない。野垂れ死ぬのも自己責任だからだ。全く、嫌な世の中だ。

一方、川崎の事件を見た元次官の父親は、長男が子供たちに危害を加えてはいけないと思い殺害に至ったという。引きこもりの長男は以前から家庭内暴力を振るっており、父親は「殺すしかない」という書き置きを残し、「刺さなければ、自分が殺されていたと思う」などと供述しているようだ。

以前から抱いていた殺意が川崎の事件を機に固まったのだろう。穿った見方をすれば、「殺せるうちに殺した」ということだ。

ただ長男は生前、自身のツイッターに母親を殴り倒した時の快感が忘れられないなどと投稿し、近所の小学校の運動会に腹を立て「ぶっ殺すぞ」などと言っていたようだ。父親は自分より弱い長男を殺し、長男は自分より弱い母親を殴り、小学生を「ぶっ殺す」と言っていたとすれば、これも弱い者いじめの連鎖である。

二つの事件から日本社会の質の悪さが垣間見た気がしていたが、その後の社会的な反応を見るに至って、その質の悪さは白日の下に晒されたと確信した。

川崎の犯人に対しては「死にたいなら一人で死ね」という声が上がったが、これは自己責任論の一種だ。このロジックでは、一人で死ぬことは許されている。なぜか。

自殺は自己責任だからだ。一方、他人を巻き込むことは許されていない。なぜか。殺人は自己責任の域を超えているからだ。

問題は、「人を殺してはならない」という道徳が「一人で死ぬのは構わない」というロジックと一緒に語られていることだ。ここに日本社会の歪みが反映されている。「人を殺してはならない」の「人」に自分は含まれていないのだ。これは自己責任論に基づく前提である。

このような弱肉強食社会では、一度でも弱者（敗者）に転落した者は二度と這い上がれなくなる。それは自己責任であり、誰かが引き上げる必要はないからだ。

そこから「水に落ちた犬は叩け」という風潮が生まれてくる。負け犬が水に落ちたのは自己責任であり、それは取りも直さず、そいつが努力の足りない負け犬だったということだからだ。結局、自己責任論は結果論であり、トートロジーにすぎないのである。

そしていま、日本社会は一斉に犯罪者、引きこもりという「水に落ちた犬」を叩いているが、これも弱い者いじめの連鎖である。川崎の犯人や殺害された長男を非難する連中も、彼らと同じことをやっているにすぎない。全員、弱い者をいじめる卑怯者だろう。

このような自己責任論以外には、陳腐な常識論しか見当たらない。曰く、犯人のやったことは許し難いが、誰も孤立させない取り組みが重要だ、「一人で死ね」という言説こそが孤独な人を追い込むなど。だが、このような常識論には自分自身に内在する〈悪に対する自覚〉が欠けている。

悪に対する自覚の欠如は自己責任論と常識論に共通している。一方は悪人を断罪する善人であり、他方は悪人に寄り添おうとする善人である。

だが、善人では悪の問題と向き合うことができない。それは悪人でなければできない。今回のような悪の問題に向き合おうとする者は、まず自分自身の悪と向き合わなければならない。

（２０１９年６月）

〈シリア空爆〉考

13日の金曜日にパリを阿鼻叫喚に陥れるテロが起きた。二度にわたって首都を蹂躙されたフランスは「戦争状態」を宣言し、イスラム国に対する空爆を強化しているという。だが、〈シリア空爆〉が何をもたらすかを考えねばならない。

この期に及んで「イスラム国と話し合うべきだ」と主張する日本人がいるが、ならば単身でイスラム国の支配地域に行くがよかろう。きっとアラビア語も達者に違いない。仮にアラビア語も話せず、殺されるかもしれない交渉に赴く気がないとすれば、もっぱら話し合いを主張するだけの連中は愚か者か詐欺師のどちらかだ。

「話し合いで解決しましょう」という日本人が大好きな決まり文句は、中東では死語である。アルカイダと反アルカイダは道ですれ違っただけで「バン！」だ。

話し合う余地がない、つまり言葉が死んでいる時は、暴力に訴えるほかない。言葉が通じない人間は存在するが、暴力が通じない人間は存在しないからだ。

それゆえ私は暴力一般を否定しない。だが、暴力によって問題を解決できると考えるほど幼稚ではない。

話を本論に戻す。まず米ロ仏英はそれぞれ異なる思惑でシリアを空爆している。実際、ロシアはアメリカが支援する反政府軍も殺しまくるなど、大きな矛盾を抱えている。しかし、仮に米ロが手を組んで最大限効率的な空爆をしたところで、イスラム国を滅ぼすことはできない。

アメリカは世界最強の軍事力をベトナムに投下したが、ベトナムに敗けた。今回の戦いは非対称戦であり、敵は国家ではなくテロリストである。しかもその実体は生身の人間ではなく思想である。たとえイスラム国が降伏しても、第二第三のイスラム国が出てくるだけだろう。テロに降伏はない。それゆえ敗北もない。

イスラム国の組織論はアメーバ的である。世界各地で細胞分裂を繰り返す。ある日突然、普通のイスラム教徒が、いや無宗教の人間までがジハード戦士に生まれ変わるのだ。

ジハードの戦死者は殉教者である。死者は英雄になる。イスラム国を見て育つ子どもたちやテロリストの遺族は、新たなテロリストとして後に続くだろう。ましてやイスラムは部族社会だ。家族親戚一族を含め、遺族は大勢いる。一人のテロリストを殺せば、十人のテロリストが生れると考えて差し支えない。

さらに空爆下のイスラム教徒だけではなく、移民先の欧米で苦しんでいるイスラム教徒もジハード戦士になる可能性がある。

特にフランスでは、イスラム系移民が社会の最下層に押し込められ、若者の失業率は数十%に上るという。この状況では、自分自身の努力ではどうにもならない不条理に絶望した若者が、フランスを憎んで銃を取っても不思議ではあるまい。

結局、欧米の空爆はせっせと国内外に新しい敵を作り続けているだけだ。欧米は本心ではテロリストのみならずその一族郎党まで皆殺しにしたいのかもしれない。だが、その発想ではテロリストと変わらない。欧米の暴力が行き着く先は自己矛盾でしかない。

そもそも部族社会を伝統とする中東に民主主義を輸出するという考え方、またその前提である、民主主義は人類の普遍的な価値観だという発想が間違っている。民主主義は一つの擬制（フィクション）にすぎない。この擬制は欧米では機能するかもしれないが、中東では機能しない。

さらに、ある社会変革運動が失敗するとより悪い社会になるものだ。現にイラク戦争後、民主主義は部族社会の利害調整をぶち壊し、イラク社会は不安定化した。アラブの春はリビアやイエメンの独裁政権を倒したが、その後に待っていたのはテロリストの跳梁跋扈だった。そして無政府状態に陥った各国では､部族社会が復活している。仮にアメリカがシリアを平定し、選挙を実施し、民主政権を樹立しようが、民主主義という擬制は機能しまい。テロは火種として燻り続け、いつか再び燃え広がるだろう。

欧米は自ら進めた近代化の結果、グローバル・テロリズムに苦しめられている。もはやかつてのように欧米が中東を壟断することはできない。今後のイスラム社会は列強的な上からの介入ではなく、イスラム教徒の下からの再建を待つべきだ。

欧米がイスラムの価値観や民主主義以外の統治形態を理解しない限り、テロの悪夢が終わることはあるまい。

（２０１５年12月）

〈戦争の年〉が始まった

サウジアラビアとイランの国交断絶、北朝鮮の水爆実験と新年を迎える祝砲が打ち上げられた。〈戦争の年〉が明けた。

第三次世界大戦すら囁かれているが、ここで重要なのは、サウジとイランの対立の背景は宗教だということだ。民族主義ではなく宗教主義（宗派主義）の色合いが濃い。第三次世界大戦が起きるとすれば、国家間でナショナリズムが激突した第一次、第二次世界大戦とは違う様相を呈するだろう。

サウジとイランは、それぞれスンニ派とシーア派の盟主を任じる中東の大国だ。サウジとイランの対立にはナショナリズムの国家的対立と、スンニ派とシーア派の宗派対立が重なりあっている。

国家間の戦争はナショナリズムの衝突とはいえ、あくまでも利害関係を調整する手段だが、宗教戦争は信仰の衝突である。合理的な理由や利害関係を超えているから歩留まりがなく、血で血を洗う凄惨な戦いになり易い。

事実、キリスト教とイスラム教、スンニ派とシーア派の闘争は千年戦争である。ジャンヌ・ダルクが活躍した英仏百年戦争どころの話ではない。

特にスンニ派とシーア派の対立はイスラム教の内部闘争だが、人間というものは外部から来る他者と戦うよりも、内部の身内と戦う時の方が残酷になる。連合赤軍事件を引き起こした新左翼などが未だに「殲滅」などと言っているが、内部闘争は殲滅戦になる。

ある党派が対立する別の党派の人間を一人でも殺すと、その党派内の空気はガラッと変わる、「こんな簡単な方法があったのか、もっとやってしまえ」という風に。そして異端を排除すればするほど、「我々の思想が、いや存在そのものが純化されていく」という高揚感、もっと言えば聖なる感覚を強めていく。

宗教は生活ゆえ、宗教戦争は生活感情や他愛ないいがみ合いが起爆剤になる。難民が発生する原因はここにある。彼らは宗教戦争や部族対立を繰り返す国に住んでいた。和解や収束は永遠に存在しないという事実、祖国故郷に留まり続ける限り、平和な暮らしは死ぬまで訪れないという事実が嫌というほど分かっていたからこそ、祖国故郷を捨てたに違いない。

ここで中東情勢の混乱がアメリカの対テロ戦争から始まった事実を思い出さなけれ

ばならない。

ＩＳは昔のゲリラ集団のようなものではなく、むしろネットオタク的な集団という感じがある。パソコンの画面を見つめながら、「そうだ！アッラーのためにジハード戦士として死ぬのだ！」と感動して自爆テロに踏み出す。つまり、全世界の何処だろうが何時だろうが、自爆テロが起きる危険性を抱いている。

いかに強大な政治権力であろうとも、巨大なサイバー空間に充満するネットワークを網羅することはできない。それゆえテロの萌芽を捕捉することもできない。我が国でも「ＩＳが入ってくるぞ」「いや、すでに入ってきているのだ」という議論が絶えないが、ＩＳが身内から誕生しない保証はない。

難民問題やＩＳが展開するグローバル・テロリズムからは、いかなる国も免れえない。第三次世界大戦の所以である。戦争の時流から我が国が逃れることは不可能だ、黒船から鎖国国家が逃れられなかったように。

我が国は戦争の時流に対して、いかに応答すべきか。例えば第三次世界大戦における日米関係はどうあるべきか。それを考える上で、毎日新聞（1月8日付）のニューヨーク・タイムズ東京特派員の論考は参考になる。

「（戦後日本が）米国との集団的自衛体制の下にあることは明白だ。……しかし、9

条を変えてまでこの問題を『解決』するのなら、その前に日本は米国の軍事方針にどう関わるべきかを慎重に考える必要がある。……集団安全保障体制をとっているが、米国の武力行使に『NO』ということもある。……重要なのは、それを判断する情報収集力と、『NO』を言う勇気を持つことだ」。

戦後70年、アメリカの庇護の下で戦争を忘れ、「人命は地球より重い」とうつつを抜かし、ただ安逸を貪ってきた我々日本人は、世界史から応答を迫られている。対米関係や憲法9条、テロや難民受け入れなど難題は絶えない。

だが、幕末維新と同じく、現実と戦い苦しむ中で、日本民族は世界史の中で鍛えられるしかない。そして世界史は自らを鍛えられない民族を悉く滅ぼしてきたのである。

（2016年1月）

〈平和に対する責務〉

戦後70年である。これは単に70年の月日が流れたということではなく、日本は70年間戦争をしていないという意味だ。そして敗戦直後に生を享けた私は、当年取って70歳である。

私は70年間戦争のない時代を生きることができた。同時代の地球上を見渡してみても、過去の世界史を振り返ってみても、非常に貴重な時代に恵まれた。まさに古代稀なり、である。

そして70年の平和を生きた者の責任は、その独自の立場から世界の戦争がどう見えるか、これを言語化して、独自の世界像を示すことだ。

私は直接戦争を経験していない。だが、メディアを通して戦争のリアリティは感じてきた。特に生々しい記憶はベトナム戦争である。これはメディア技術の進歩によって世界史上初めて「実況中継」された戦争だった。

戦争は残虐だという。だが、人間の五感を揺さぶるその圧倒的現実は、「残虐」の二文字で表現し切れるものではない。写真はその一端をよく伝える。戦火から逃げ惑う全裸の子どもの顔、爆死体の肉片を片手にぶら下げる米兵、異様な体勢で転がる村民の血まみれ死体……。

戦争のリアリティは、戦争の渦中で生きざるをえない当事者が最も強く感じるだろう。だが、それは平和な日常生活を送る人々も感じるのだ。

自宅で新聞やテレビを見ながら戦場の光景を目の当たりにした時、我々は「なぜ自分はここでテレビを見ているのに、彼らは戦火に追われているのだろう。なぜ自分は生きているのに、彼らは死んでいるのだろう。なぜ私は彼らではないのだろう」と思わざるをえない。

これも戦争のリアリティであり、その影響力は大きい。少なくともアメリカを中心に世界中で反戦運動を巻き起こし、アメリカ政府に戦争継続を断念させる程には……。

生々しい具体的な戦争報道が、世論を喚起して政府の意思決定を左右する。それが嫌なら、戦争報道を空々しい抽象的なものにすればいい――これがアメリカがベトナム戦争で得た教訓である。

その結果、ベトナム戦争後の戦争報道は仮想化された。たとえば最近の中東における戦争報道では爆発の映像は流れるが、無残極まる爆死体の映像は流れない。戦争の現実を覆い隠すために、戦争の仮想現実が流されている。

だが、それでも湾岸戦争、アフガン戦争、イラク戦争のリアリティはアメリカ社会を捕えて離さず、米軍は中東からの撤兵を余儀なくされた。一方、アメリカが散々引っ掻き回したせいで、中東の利害関係はこの上なく複雑化し、出口の見えない戦争状態が継続している。しかも、現在イスラム国と周辺諸国が戦っているが、両者が手にしている武器のほとんどはアメリカがイラク戦争時に持ち込んだ武器なのだ。

それにもかかわらず、アメリカは勝手に戦争を始めておきながら、「これ以上アメリカの若者が死ぬのは御免こうむる」と戦場から逃亡してしまった。無責任極まりない。いまや中東は戦争を続けるでもなく終えるでもなく、だらだらと死者を出し続ける状態に陥っているのだ。

21世紀の戦争は様々な要素が絡み合い、終結は至難の業である。平和は望むべくもない。

そこで私はあえて愚見を述べよう。全世界は、すべての戦争状態を停止し、殺し合いをやめると合意すべきではないか、と。ひとまず戦争をやめ、後のことは後で解決しようではないか、と。

無論、反論はいくらでもできる。殺さなければ殺される、殺されたから殺す、殺したいから殺す……。

だが、それを承知でやめようと言うのだ。人類は20世紀に何人殺したのか。人類はあまりにも殺し合ったのではないか。21世紀も殺し合いを続けるのか。それでいいのか。

戦争なき平和は有難いものだ。真の自由に生きられる。これは次世代の日本人だけではなく、全ての人々に経験させてやりたい。いや、そうさせてやらなければならないのだ。それが自ら享受してきた〈平和に対する責務〉だ。

人間は自由である。だから戦争をやめるくらいのことは実現できるはずだ。確かにこの願い、いや、意志は愚かだ。愚の骨頂である。だが、21世紀も戦争を続けることは、これより愚かでないか。

この愚かな意志の実現を追求しなければならない。できるかできないかではない。やるかやらないかだ。そして私の、いや、我々の世代でやる、やり切る、これが70年間の平和を享受してきた者の責務なのである。

（2015年3月）

第三章 右翼・左翼論

1989.	12	冷戦終結
2013		ヘイトスピーチ過激化
2014.	07	閣議決定で集団的自衛権の行使容認
	12	第47回衆議院議員総選挙
2016.	11	米大統領選でD・トランプ当選
	12	F・カストロ死去
2017.	05	安倍総理、「9条3項加憲案」提起
	12	第48回衆議院議員総選挙
2018.	01	西部邁自死

〈Xのため〉という思考形式

フランス革命から現代に至るまで、近代は右翼と左翼、あるいは保守と革新という二項対立を基調としてきた。だが、その対立はもはや無意味な時代に来た気がしている。

かつて冷戦構造下では共産主義陣営と資本主義陣営に分かれていた。だが、ソ連が崩壊し、中国が改革開放に踏み切り、両者の対立は著しく鈍麻した。いまやほぼ全ての国家が資本主義国となっているのだ。

その後、共産主義という天敵、革命という脅威から解放された資本主義は、格差に配慮することなく思う存分に資本を増殖している。

資本の原理は弱肉強食である。有能な者が無能な者を抑圧したとしても、それは自己責任、もっと言えば自業自得であり、道徳的非難を受ける筋合いはない。

そして日本では小泉竹中改革以降、新自由主義が猛威を振るった結果、国民間の格差が広がり、「下流老人」「ワーキングプア」「子どもの貧困」というように、全世代で貧困が深刻化している。

だが、資本の原理に対して国民の原理が立ち塞がる。国民の原理は情愛だ。国民の情愛は生まれつきや環境による格差や貧困を是認しない。

無論、「天皇の大御宝を虐げるな」、あるいは「人権を侵害するな」というように、それぞれ理屈は違うかもしれないが、貧困に苦しむ国民を救うという点で右翼と左翼は一致する。いずれもナショナリズムだ。だからこそ小泉竹中改革が始まった時、右翼と左翼はともに異義を申し立てたのである。

資本主義が新自由主義という形で極まるにつれ、右翼左翼以前の主体が――あるいは右翼左翼以後の主体かもしれないが――すなわち国民という主体が浮かび上がっている。

確かに左右の差異は存在するが、天皇や革命の是非は喫緊の課題ではないため問題にならない。焦眉の課題は格差や貧困である。左も右も関係ない国民全体の問題だ。新自由主義は右翼左翼の対立を解消しつつあるのではないか。

とはいえ、冷戦時代に青春を送った私には、左右対立の母斑が残っている。いまの左翼が我々の世代と同じような馬鹿なことをしようとすると、厳しい目を向けざるをえない。古傷に障るからだ。

右翼か左翼か、保守かリベラルか——こういう区別に私は随分前から嫌気が差している。千差万別の人間を二種類に類型化し、お互いに紋切り型の批判を浴びせ合う。こんな詰まらないことがあるか。新しい思想は何も生まれやしないだろう。

ここに左右を問わず陥りやすい罠がある。〈Xのため〉という思考形式である。Xに御国や天皇を代入すれば右翼になり、労働者や市民を代入すれば左翼となる。何を代入するにせよ、「Xのため」という思考形式は共通している。ここにはロマンがある。理想のために我が身を捧げる陶酔感がある。

だが、果たして浅間山荘で死ねば市民のためになるか、新大久保で韓国人死ねと喚きながら練り歩けば国のためになるか。「Xのため」という安酒に酔い痴れる連中は、その思考がどれほど漠然で曖昧かに気づかない。

曖昧な精神は茨の道の如き厳密な思考に耐えられない。だからこそピクニックに行くような気安さで物事を気軽に考えている。いや、本当は考えてすらいないのだ。楽なことである。

我々は冷戦崩壊後、新自由主義が左右対立を無意味にするような地平に立っている。それゆえ、ここから物事を考えるには、厳密に思考しなければならない。常識に懐疑的でなければならない。暗黙の前提に猜疑心を持たなければならない。だが、何が考え出されるかは分からない。思考とはそういうものである。

ただ現時点で確信していることがある。我々はそれぞれ空前絶後の個人として生きている。私とあなたは絶対的に別人である。つまり、私とあなたは絶対的に矛盾している。個人は矛盾として生きざるをえない。思考はその立場から始められなければならない、ということだ。

新しい思想は、右翼と左翼という呪縛を断ち切った地平から上ってくるに違いない。

（２０１６年４月）

〈無思想〉という思想

本連載は今回で45回目を数える。4年近くも遺言を連載している自分に苦笑するが、いまさら「宮崎、『月刊日本』で連載していたんだな」と電話をかけてくる旧友にも苦笑している。

そいつとは思想の新しさ古さだとか、右翼左翼のカテゴリーだとか、そういう話になった。しみじみ感じるのは、還暦や古稀をすぎた人間にはいまさら思想は変えられないということだ。

人間には誰しも自分なりの性格や身体つきがあって、大体それらは欠陥だらけだが、それが良かろうが悪かろうが気に入ろうが気に入るまいが曲がりなりにもそれで生きていくしかないし、実際に生きてきたわけだ。思想もそれと同じで、いまさら変えるわけにはいかない。

電話を切った後、頻りにそんなことを思いながら、改めて思想とは何かという青臭い問題を考えているわけだが、まず近代において思想と政治は切り離せない。よって政治思想的立場は右翼左翼中道と区別されるが、これは冷戦構造を前提にしたものである。

だが、冷戦が終わって前提が崩れた以上、もはやそのような区別は無意味だろう。現に、保守とされる安倍政権（実際には無思想にすぎない）に象徴的だが、右も左も真ん中も何が何だか分からなくなっている。

たとえば、『月刊日本』は右派を自負しているが、誌面では全面的に安倍を批判しているから、近頃では右翼からは左翼、左翼からは右翼と呼ばれているらしい。そのうち、左翼を自負する私も右翼と呼ばれる日が来るかもしれない。

もはや右翼左翼中道すなわち陣営というものは境目を失い溶けた。それらの思想は旧時代の遺物として溶解したのである。

さあ、そこで色々なことを考えるわけだが、結論から述べる。もはや陣営の対立は時代遅れで不毛以外の何ものでもない、がしかし、それでも思想は対立すべきである。たとえ不毛であろうが、見せ掛けであろうが、社会には対立があった方がいい。そちらの方が健全だし、何より面白い。

右翼左翼中道という陣営が溶けた結果、日本社会はどうなったか。全員のっぺら坊みたいになったのだ。金太郎飴を切ったように顔つき、話し方、歩き方、全て同じである。

政党もそうだ。与党も野党も区別がつかない。自民党から民主党に政権交代して、民主党から自民党に政権交代したが、政策は何も変わっていない。どいつもこいつも対米従属、新自由主義だ。安倍などはＴＰＰ、消費税など菅直人の政策をそのまま引き継いでいる。

もちろん陣営はまだ存在している。近頃では親安倍か反安倍かが右翼左翼を区別する基準らしいが、右翼の左翼批判、左翼の右翼批判も紋切り型で見分けがつかない。右翼が中国を批判する文章と左翼が安倍を批判する文章で「中国」と「安倍」を入れ替えてみたら、そのまま相手の文章になってどっちがどっちか分からなくなるだろう。ここに本質的な差異などない。

政治社会思想に明確な対立、明確な差異がなくなっている。それは日本が〈無思想〉という思想で塗り潰されたということではないか。色がなくなるということは、無色で塗り潰されるということに他ならない。そして対米従属と新自由主義は無思想の産物なのである。

このような無思想の時代に思想はありえるか。確実に言えることが一つある。これまでの思想は政治と切り離せなかったが、新たな思想は政治と切り離されるべきであるということだ。

冷戦構造における思想、その残滓としての親・反安倍としての思想は、時の権力との距離によって自己を規定していた。それらは思想そのものではなく、政治思想すなわち陣営の思想にすぎなかったのだろうが、もはやナンセンスである。なんとなれば、安倍政権がそうであるように、政治そのものが無思想だからだ。

陣営の思想は老死した。ならば個人の思想が新生するだろう。そして個人の思想は共同体の思想に成長するだろう。我は我々だからである。

本来、思想とは個人の生き死に、民族の興亡と切り離せないものだ。そして我は我々と対立し、我らは彼らと対立する。こうして対立は見事に取り戻される。確かに政治思想は冷戦とともに滅びた。だが、思想は滅びない。

ここまで書いて気づいた。やはりいまさら思想は変えられないのである。

（２０１８年７月）

保守主義における〈右翼小児病〉

衆院選投開票日の12月14日、日本テレビ「NEWS ZERO」の選挙特番を観ていた私は唖然とした。中継で村尾信尚キャスターの質問を受けた安倍晋三は、おもむろにイヤホンを外して滔々と喋り続けたのだ。

その後、改めて村尾キャスターが質問すると、「ただ村尾さんのように批判しているだけでは、これは何にも変わらないわけです」と名指しで批判し、「私は」という村尾キャスターの声を聞くや否や、再びイヤホンをもぎとって自論をまくし立てたのだ。

なんと幼稚な振る舞いか。都合の悪いことを言われたら両手で耳を塞いで「アーアー！　聞こえなーい！」とわめきながら逃げ出す小学生と全く変わらない。安倍晋三という男には、文字通り言葉が通じないのだと思った。

そもそも今回の選挙自体、野党を不意打ちして安倍自身の権力を固めるためだけ、つまり、安倍の、安倍による、安倍のためだけの選挙にすぎなかった。「アベノミクス解散」はそれを隠すための詭弁である。

いま、我が国は歴史の岐路に立っている。集団的自衛権、原発、普天間基地の辺野古移設など、国家の根幹に関わる重要な問題に直面しているのだ。

しかし、安倍とメディアは「アベノミクス選挙」だと嘯き、これら真の争点を隠蔽したのだ。安倍は記者会見で集団的自衛権を含む防衛政策について「公約にしっかりと明記した」「信任を頂いたわけだから、実行していくのは政権の使命だ」と言い切ったが、自民党はマニフェストに「集団的自衛権」という文言を全く載せていなかったのである。

これらの事実は、「国民の意志など問うものか。日本国家の運命を決めるのは俺だ」という安倍の本心を浮き彫りにしている。安倍は「夫れ事独り断むべからず。必ず衆とともに宜しく論ふべし」（十七条憲法）、「万機公論に決すべし」（五箇条の御誓文）といった日本の伝統を知らないらしい。

今回の選挙が我々に教えたことは何か。安倍が宰相の名に値しない、幼稚で姑息な人間だということである。

大体、「僕、憲法を改正したいんだけど、ハードルが高すぎるの。だから96条だけ先に改正してハードル下げていい？　だめ？　じゃあ、もういい。解釈改憲でやっちゃうもん！」という経緯からして、安倍晋三がただの我儘なお坊ちゃまであるということは明白だ。

保守というのは、こういう小手先に頼る卑怯な振る舞いを忌むものではないのか。解散総選挙に打って出られた安倍晋三内閣総理大臣閣下様は大宰相の器であらせられることを御自ら証明あそばされたのでございますと公言して憚らないような連中の気が知れない。

かつてレーニンは『共産主義における左翼小児病』という著作の中で、非現実的で過激な言動に走るエセ共産主義者を糾弾した。

曰く、「単に議会主義的日和見主義者を罵倒することによって、自分自らの『革命的精神』を広告することは極めて容易ではあるが、然しそれが余りに容易であるからこそ、そは決して困難な、極めて困難な問題を解決する所以ではない」「疑もなく自分自身マルクス主義者であると考へ且マルクス主義者たらんことを希望している人々が、マルクス主義の根本を忘却していることは遺憾なことである」。

このレーニンが指摘した左翼小児病を現時点で考えると、排外ナショナリズムに酔っ払うエセ愛国者や憲法十七条・五箇条の御誓文すら知らないエセ保守にも当てはまる。安倍晋三やその周辺は、左翼小児病患者と真逆ではあるが、同根の「病」を持つ〈右翼小児病〉と言えるだろう。

かかる右翼小児病患者が独裁者然として我侭放題すれば、国家が危険に晒されることは論を俟たない。だが、これに対して警鐘を乱打すべきマスコミは、口を噤むどころか、却ってそのお先棒を担ぐ始末だ。12月4日、読売・朝日・毎日・日経・産経各紙は一斉に迎合して「自民、３００議席超す勢い」などと報じたのだ。これを偶然の一致と見るのは、通常の思考力を持った人間には不可能だろう。

これ以上有頂天になっている安倍政権を見て見ぬふりはできない。言論人が冷や水をぶっかけてやらねばならない。だが、どいつもこいつも沈黙するばかりだ。よって、私はこの場を借りて宣言する。もはや安倍政権を打倒しなければならない時が来た、と。

（２０１５年１月）

〈流される血〉に対する無自覚さ

世界中に激震が走っている。震源地はアメリカである。すなわち、100年にわたって世界に覇を唱えた超大国の崩壊が、ウクライナ危機、イスラム国、イランの核など様々な大問題を引き起こし、全世界を揺るがしているのだ。

安倍政権が進める諸政策も、この文脈で捉えなければならない。特に安保政策だ。集団的自衛権や海外派兵の恒久法は、アメリカのプレゼンスを日本が補完する「バック・パッシング（責任転嫁）」の一環である。日本はアメリカに「俺の仕事を肩代わりしろ」と迫られているわけだ。

そこで安倍は「肩代わり」を買って出て、アメリカに「我が軍」を差し出そうとしている。意気揚々と、である。国会答弁、首相談話、施政方針演説、訓示など、私は安倍の発言を注意深く聞いてきたが、安倍の言葉は軽い。軽すぎる。

こういう絶望的に軽い言葉には聞き覚えがある。そう、血を流す覚悟もなく、血を流せと喚き立て、いざ血が流れたら腰を抜かしてトンズラしてしまった、かつての左翼運動の指導者たちの言葉と同じ響きだ。

様々な経験から、いつしか私には腹の据わった奴とそうじゃない奴を嗅ぎ分ける嗅覚が備わった。その嗅覚が、安倍は腹が据わっていないと告げ、その言葉に鼻が曲がりそうな胡散臭さを嗅ぎつけている。

実際、安倍は言葉が踊っていてキレイゴトしか言わない。曰く、「決断には批判が伴います。しかし、批判をおそれず、私たちの平和への願いを責任ある行動へと移してきたことが、平和国家日本を創り上げてきた」（２０１４年7月1日）。これはそんな耳触りのよい言葉である。だが、よすぎる。ここに胡散臭さがある。これはそんなキレイゴトで済む話ではないからだ。

安倍の決断は平和の代償として自衛隊を危険に晒すのではないか、戦死者すら出すのではないか。理想のためには払わなければならない犠牲がある。だが、安倍はそのことを一切口にしない。

確かに否応なく時代は変わっていくし、そうである以上、変化には対応せざるをえず、そのためにはアメリカの「肩代わり」もやむをえないかもしれない。だが、それは痛みを伴い、場合によっては血が流れる。

指導者はその苦難を百も承知で、「にもかかわらず、それでも、やらねばならぬ」

という覚悟で事に当たる。それは自分の決断によって血が流れ、その流された血を一生背負うという悲壮な覚悟でもある。かつて第二次世界大戦真っただ中の1940年に首相に就任したチャーチルは、「血と労苦と涙と汗のほかに、私が差し出せるものはありません」と語ったのだ。

しかし、こういう悲壮感や責任感、重みは、安倍の発言、そのニュアンスや行間からは全く感じられない。感じられるのは、ただ「僕は正しいことをしてるんだ！」という無邪気な正義感と、そのために払わなければならない代償や犠牲、〈流される血〉に対する無自覚さだけだ。まるで子供染みている。まさに「右翼小児病」である。

だからこそ安倍は「罪を償わせる」などという素っ頓狂な突撃ラッパを吹いて恥じないのだ。そして自衛隊にテロリストとの命のやりとりを迫る邦人救出をぶち上げ、自衛隊を死地に送り込みかねない海外派兵に手を出している。

冗談ではない。

命のやりとり、簡単な言葉だ。だが、この簡単な言葉の意味を知っているのか。安倍は命を捨てる時の、あの葛藤、苦悩、空虚、充実、矛盾、自由を知っているのか。自分と敵の間にお互いの命を置いて、それを暴力で奪い合うしかない時の、あの本能を知っているのか。それを知らない、知ろうともしない安倍が、自衛隊員の精神に土足で踏み入るどころか海外派兵に手を出すなど、断じて許されない。

安倍はこのまま戦死者の扱い、その名誉について何も考えず、万が一の時、一方的に軽薄なキレイゴトを喚いて出動命令を下すのか。だが、そこには国家的大義も国民的合意もない。だから出征する自衛隊に国民の歓呼の声はない。こんなことで自衛隊が何のために命を懸けるか納得できるはずがあるか。あまりに惨い。

たとえ時代の要請であろうとも、こんな軽薄な男の下で国家の重大事を全うすることはできない。ゆえに再び断言する、安倍政権は打倒しなければならない、と。

（２０１５年４月）

憲法論の〈死角〉

憲法の話でもしようかと思ったが、すでに気が進まない。その気になったのは、先の総選挙で自公が国会で憲法改正発議に必要な3分の2を占めたからだが、安倍の詭弁と改憲派・護憲派の詰まらない御託を思い出したせいで、瞬く間にやる気が失せてしまったらしい。

右の改憲論は単純だ。現行憲法はアメリカに押しつけられたもので、日本は9条で軍隊を奪われたせいで独立国ではなくなってしまった。だから9条を改正して国軍を持ち、普通の国になろうと。いわば「普通の国」論である。

だが、法に時代性がある以上、法は時代に押しつけられるものだと言ってもいい。明治憲法は自主憲法だと言うが、あれは近代に押しつけられたもので、西欧列強との不平等条約を改正するために渋々作らざるをえなかっただけだ。

左の護憲論も退屈極まりない。9条を守れ、平和憲法を守れとしか言わない。「平和の国」論だ。現行憲法は民定憲法だというフィクションが罷り通っているらしいが、一皮剥けば「米定憲法」であることは間違いない。日本人が自分で憲法を作って平和の理想を掲げたわけではない。

だから左派の平和論は軽いのだ。平和は誇らしげに語るものではない。平和は時として戦争より過酷だ。大体、戦争の権化である米帝から与えられた平和憲法とは、皮肉を通り越してブラックジョークではないか。

現行憲法と日米安保条約が表裏一体である以上、日米安保を語らなければ憲法は語れない。そう言うと、改憲派は平和憲法を捨てて日米安保を強化すると言い、護憲派は平和憲法を守って日米安保は強化するなと言うが、これでは改憲派は右手はいいが左手はダメだ、護憲派は左手はいいが右手はダメだと言っているに等しい。戦後70年、よくもまあ見事にアメリカの掌で踊らされたものだ。

これだけでも笑えない喜劇だが、もっと笑えない喜劇を演じようとしている道化がいる。２０１７年5月、安倍はいきなり9条1項2項はそのままで、新たに3項を付け加えて自衛隊の存在を明記しようと言い出したのだ。

安倍は憲法改正が信条らしいが、それは嘘だ。この提案にあるのは、「これなら国民ウケするかな」という下心だけで、信念や覚悟がまるで感じられない。選挙ではハッタリが通用するかもしれないが、国民投票まで見据えれば、こんな小手先のテクニックが通用しないのは分かり切っているではないか。よくもまあ、この程度の思いつきでモノが言えるもんだと呆れるばかりだ。

自衛隊は合憲だろうが違憲だろうが、現実に定着している。その中で安倍が9条3項に自衛隊を明記する改正案を発議して国民投票で否決されたらどうなるか。自衛隊が現実から引き剥がされることになるだろう。私も含めて日本人はいい加減な性分だ。わざわざ藪をつついて蛇を出す必要はあるまい。

何を言うか。中国は尖閣の隙を窺い、北朝鮮はミサイルをぶっ放している。9条を変えなければ我が国は守れないのだ。こう叱られそうだが、この発想には〈死角〉がある。

侵略の脅威に晒された時に問われているのは、法以前に覚悟である。言ったではないか、日本人はいい加減な性分だと。敵が攻めてくれば9条があろうがなかろうが戦うだろう。

日本人は憲法論のような観念的な言葉遊びにあまり興味がないのだ。イデオロギーの物差しに合わせて行儀良くするのが苦手と言ってもいい。法が現実に先立つのではない、現実が法に先立つのだ。

日本人は大宝律令の昔から明治憲法、現行憲法に至るまで、解釈改憲は何度も繰り返しているが、正式な憲法改正などしたことは一度もない。それは法を重んじているからではない。本質的に法を軽んじているからだ。

法律に従って生活ができるか、建前では形だけ付き合ってやるが、本音では好き勝手やらせてもらうぜ、こういう日本人の冷めた法意識を見なければならない。だから違憲の疑いがあろうが自衛隊が「令外官」として定着するのだ。

現在の憲法論は右にしろ左にしろイデオロギーだ。イデオロギーは日本人を動かさない。60年安保闘争などもイデオロギーの皮を被ったナショナリズムだ。

憲法論に現を抜かす連中は国民が馬鹿だからもっと啓蒙しなければならないと見当違いのため息を漏らす前に、この日本人という曖昧模糊たる群れに驚愕し戦慄した方がいい。

（2017年12月）

ネット右翼は〈テロリスト〉にはなれない

人間には好き嫌いがある。好き嫌いに根拠はないが、根拠などなくても何が好きで何が嫌いかはハッキリ分かる。「虫が好かない」という言葉があるが、どうやら人間は誰しも腹の中に虫を飼っていて、そいつが好き嫌いを判断しているらしい。

私が嫌いなものはハッキリしている。集団というやつだ。私も若い時分は左翼運動に熱中して集団主義の罠にハマったわけだが、どうにも虫が好かずに止めてしまった。私が左翼運動から離れた理由は、もちろんイデオロギー上の理由もあったが、一番の理由は虫が好かなかったからだという気がする。虫というものは、イデオロギーで転向させられるようなものではないらしい。

集団主義を否定したら、政治運動が不可能になる。自分たちの考えを世の中に広めて国家・社会を動かそうとすることができなくなるわけだ。それでいいではないか。何も問題はない。むしろ政治運動をやる方が余計な問題を増やすのではないか。

まず政治運動は集団的に考えようとする。みんなで議論して一つの結論を得る、これが自分たちの考えであるというが、そんなものはありえない。そもそも集団的に考えることなどできやしないからだ。集団的な思想、すなわちイデオロギーは幻想だ。それは誰のものでもない。

次に政治運動は集団的に行動しようとする。徒党を組んでデモを行い、選挙を行い、多数決をとる。そこに個人はない。あるのは集団だけだ。集団的な考えが誰のものでもないように、集団的な行動とは誰でもできることであり、誰がやってもいいことだ。だから集団主義は必ず無責任になる。「みんなで渡れば怖くない」という集団心理によって、どんな過激なことでもやってのける人間は集団に埋没した時、最も過激になることは歴史が証明するところだ。

私は個人が好きだ。自分の考えは自分だけのものだ。必ず自己完結する。思想とは固有性だ。つまり、思想とは孤独なのである。人間は他人の思想を持つことはできないし、自分の思想を他人に持たせることもできない。思想と思想は絶対に混ざり合わない。思想は身体と似ている。身体を入れ替えることはできないように、思想を入れ替えることはできない。

いや、思想と身体は同じようなものだ。思想は行動になるからだ。思想が自分だけのものであるように、自分の行いは自分だけのものだ。自分の思想に従い、自分で行動する。その責任は自分でとる。食べたいと思えば食べればいい。腹を下そうが自分のせいだ。殺したいと思えば殺せばいい。死刑になろうが自分のせいだ。単純な話である。この単純さに耐えられない連中が集団主義に走るのだ。これは卑怯者のすることである。

ネット右翼がいい例だ。ネットでは匿名で好き勝手なことを放言し、街頭ではサングラスにマスクをしてデモをやる。一部には顔と名前を出してヘイトスピーチをやる連中もいるようだが、所詮はデマゴーグである。実力行使は伴わない。ネット右翼はデマゴーグにはなれても〈テロリスト〉にはなれない。

無論、デマゴーグは危険だ。デマゴーグに煽られた集団はどんな過激なことでもやってのける。厄介なことに、集団はデマゴーグがいなくてもデモに煽られてとんでもないことを仕出かすこともある。関東大震災の時の朝鮮人虐殺がそうだ。

それでは、ヘイトスピーチはいつか第二次朝鮮人虐殺を起こすか。どうも私にはそうは思えない。ネット上か街頭かの違いはあるが、いずれにせよネット右翼は口だけだ。

私はこれまで散々口だけの人間を見てきたが、そういう連中はいざとなると真っ先に逃げ出す。だからネット右翼が実力行使に出る可能性は低いのではないか。ただ、これは私の経験則にすぎないから、保証の限りではない。

ここまで書いて、さて、結論をどうしたものかと思案しているわけだが、最後に自己矛盾について触れておく。

私は自分の考えを世に広めるつもりなど更々ないし、むしろ自分のような考えが広まったら世の中はロクでもないことになると思っている。しかし、私はこうして自分の考えを世間に問うているわけだ。我ながら矛盾していると思うが、人間に矛盾が捨てられるはずがないのだから仕方がない。

虫のいい話に聞こえるかもしれないが、それは我々が飼っている虫のせいである。

（2018年8月）

〈清く正しく美しく〉という幻想

古い話である。その上いささか専門的すぎる話ではあるが、私自身の思い出の中心の一つだから、意見を述べさせてもらう。

東京新聞（1月25日付）のコラム「大波小波」は、大物右翼田中清玄のカネが左翼、具体的に言うと全学連委員長の唐牛健太郎のみならず、思想家吉本隆明の雑誌『試行』にも流れていたと書いている。

最後は「吉本隆明の『試行』にまで田中清玄からの金が流れていたとの話が本当なら驚きです」と締めくくっているが、私はこんなことで驚く思考に驚く。この「驚き」には、社会運動は〈清く正しく美しく〉なければならない、という暗黙の前提が潜んでいる。

こういう考え方は、日本共産党（日共）系の旧左翼と日共と袂を別った新左翼が論争と称する非難合戦に明け暮れた１９６０年代後半にも存在していた。旧左翼が新左翼を批判する時は、「お前らは右翼からカネを貰っているじゃねえか」というのが常套句だった。

当時も今も「右翼のカネを貰うのはけしからん」「右翼のカネを貰っていたのは驚きだ」などと皮相的な議論に終始し、本質的な問題が論じられていない。

本質的な問題とは何か。「カネを貰っただろう」と批判する側と「いや、貰っていない」と反論する側の双方に通底する、「運動は清く正しく美しくあらねばならぬ」という美意識だ。

私は当時からこの考え方が嫌いだった。「キューバ革命は敵の武器を奪って味方の武器に変えたんだ。金だって武器だろう。敵の金を味方の金に変えて何が悪い」と言って周囲に唖然とされたものだ。「そんな美意識は小学校の学級会レベルだ。清く正しく美しく革命などできるか」と思っていた。

案の定、清く正しく美しいはずの新左翼は、汚く醜く愚かな内ゲバに嵌り込み、あさま山荘事件で爆死した。新左翼が最大の衝撃を以て残した教訓は、清く正しく美しい運動はその原点たりえないという事実を突きつけたことである。

だが、いまでも共産党は「私たちは政党助成金や企業献金に頼っていません！国民の寄付だけで政治活動を続けています！」とアピールしている。清く正しく美しい運動を続けているというわけだ。これは共産党だけの問題ではない。「汚い金は排除して浄財のみで行うクリーンな政治」を求めている日本社会全体の問題である。

人間は清く正しく美しく生きたいと願いながら、どうしようもなく汚く醜く愚かに生きざるをえない不完全な存在だ。人間は間違いを犯すから人間なのだ。人間が完璧ならば、警察や裁判官、もっと言えば法など必要あるまい。罪や罰、後悔という概念も存在しまい。

清く正しく美しい善人の運動が、どうして汚く醜く愚かな社会に広がっていくか。清く正しく美しい社会では、汚く醜く愚かな人間はどうしたらいいのか。強制収容所で抹殺されるか、思想教育と称して洗脳されるか、善人の皮を被るしかないというのは、かつての社会主義国家が立証済みである。そもそも善人しか存在しないならば国家は必要ない。

これは非常に危険な価値観なのである。悪に免疫のない善人ほど恐ろしい悪を為すものだ。正義の味方のような顔をしている善人は、自分が善を為そうとして悪を為してしまうドジで間抜けな人間の一匹にすぎない事実を忘れている。そういう事実を忘れてしまうということ自体が、彼自身がドジで間抜けな人間の一匹にすぎない証左なのだが。

人間は不完全だ。うっかり自分を善人と思い込み、つい清く正しく美しい社会を建設できると勘違いすることもある。仕方のないことだ。しかし、それはそちらの勝手だから責めまい。

ただ、こちらに独善的な理想を振りかざして迫って来られるのは勘弁願いたい。傍迷惑も甚だしい。構ってくれるな。「宮崎学は清く正しく美しくない！」という批判は甘んじて受けるが、「それがどうした」と居直るほかはない。

フランス革命以後、確かに自由平等博愛という価値観は世界中を席巻したが、いまやそれが綻んでいるのは、民主化運動の結果として混迷を深める中東情勢や難民問題で動揺するヨーロッパ社会を見れば一目瞭然である。それに対して、清く正しく美しくという価値観は微動だにしていない。

だから私はこう言いたい、清く正しく美しくという価値観を破り捨てた時に新たな世界が広がると。

（２０１６年2月）

〈戦後思想〉の解体

アメリカが異能の大統領を産み落とした。超大国の変貌で世界は大きく変わる。日本も他人事では済まない。近代日本はアメリカの外圧によって国家構造の転換を迫られてきた。近い将来、日本国家に変革を強いたアメリカ人として名前が挙がるのは、ペリー、マッカーサー、そしてトランプだろう。

いま、開国と敗戦に匹敵する大転換期が来ている。しかし、日本人は鈍い。あまりにも鈍すぎる。

大統領就任式に合わせて、全米で500万人規模の反トランプデモが勃発した。それに呼応して、世界各地でも数百人〜数万人規模の反トランプデモが続発した。ロンドン、パリ、ローマ、ベルリン、キャンベラ、オタワ、テルアビブ、ソウル、ナイロビ、ケープタウン等々、枚挙に暇がない。

だが、東京は静寂に包まれていた。確かに東京でも数百人規模のデモが行われたが、参加者はほとんど在日アメリカ人だった。日本人はトランプに反応していない。トランプに抗議する人々にも反応していない。

なぜ日本人は反トランプデモを起こさなかったか。特に日本の左翼と右翼は何をしていたのか。先進国の左翼はトランプが投げつけた女性問題に猛抗議の声をあげ、右翼もまたトランプが掲げた反グローバリズム、ナショナリズムに刺激されて気勢をあげたではないか。トランプに反応できない日本の左翼右翼に存在意義はない。

しかし、この批判は自分自身に跳ね返ってくる。「そもそもお前自身、なぜ反トランプデモを呼びかけなかったのか」と。私も含めて日本人は世界的なうねりに応答しなかった。

なぜ日本人は無反応だったのか。その原因の一つは、日本社会を覆うシニシズム（冷笑主義）だろう。

冷笑の前提は、当事者意識の欠落だ。実際に当事者であるかどうかは関係ない。当事者であろうが、第三者として冷笑するのだ、「それは俺の問題ではない、俺には関係ない、俺の知ったことか」と。これがいまの日本人の姿だ。トランプ大統領の登場で日本人はケツに火がついているのだが、それを対岸の火事のように冷笑しているのだ。このままでは焼け死ぬしかあるまい。

冷笑主義は左翼と右翼にも浸透している。左翼はデモで、右翼は街宣で世論喚起を図っているが、運動が自己目的化している。その情けなさを省みず、左翼は右翼を冷笑し、右翼は左翼を冷笑し、国民は両者を冷笑している。だが、他陣営を冷笑したところで、自陣営が強くなるわけではない。

日本の左翼と右翼は全く力を失っている。世論を喚起できず、トランプに反応すらできない。能動、受動の両面で無力である。左翼と右翼は現実に対応できていない。現実とは何か。それは戦後の限界である。

トランプ大統領の誕生や反ＥＵの台頭は、戦後の思想そのものの限界を示唆している。戦後の言葉は死につつあるのだ。戦後秩序における紋切り型の言葉、定式化された意見、ポリティカル・コレクトネスは力を失った。その代わりに新しい言葉が、いまは暴言という形で、力を得ている。

その余波は日本に及ぶ。左翼と右翼の凋落とは、戦後左翼と戦後右翼の凋落である。左翼と右翼はいまだに日頃の能書き、つまり戦後の言葉を垂れているが、それらはもはや通用しない。左翼と右翼は〈戦後思想〉を解体しなければならぬ。

問題は、何を解体するかもそうだが、どう解体するかだ。

私の実家の家業は解体業だったが、解体業には主に二つの工法がある。手ばらしと機械解体だ。手ばらしは手作業で家屋を解体して、瓦や木材、釘は再利用する。一方、機械工法はショベルカーで解体というか破壊して、瓦や木材、釘はゴミとして丸ごと捨てる。昔は手ばらしが主流だったが、現在では機械解体が主流になっている。手ばらしの人件費よりも、産業廃棄物の処理費の方が安いからだ。経済効率を優先する戦後的な工法だ。

それゆえ思想の解体は手ばらしで丁寧かつ徹底的に行うべきだ。戦後の思想を解体するために戦後の方法を選んではなるまい。戦後の言葉を疑い、戦後の思想を解体せよ。そこから新しい言葉、思想、運動が生まれるだろう。

私も自戒を込めて再び活動する。カストロの死で落ち込んだが、トランプに「なにくそ!」という元気をもらった。私が生まれ育った戦後を解体し、その瓦礫に死に花を咲かせたいと思う。

（2017年2月）

〈三十まで生きられるか〉という覚悟

フィデル・カストロが死んだ。11月25日のことだった。日本人の反応は薄かった。「あっそう」という程度である。

だが、一部に例外があった。１９６０〜70年代に学生運動に明け暮れた我々の世代だ。我々はキューバ革命とカストロ、ゲバラに憧れていた。その意味で我々はカストロの世代だった。

カストロは21世紀に入って尚、冷戦の象徴だった。老いて尚、革命の体現者だった。そのカストロが死んだ。最後の赤いランプが消えた。

それと同時に我々の時代も終わった。余燼を残しながら燻っていた我々の時代が終わった。「カストロ死す」という訃報は私に衝撃を与えたあと、一抹の寂しさと奇妙な安堵感をもたらした。

第二次世界大戦後のキューバは、アメリカの傀儡政権の支配下にあった。１９５８年12月１日、メキシコに亡命していたカストロはゲバラを初めとする革命同志とともに小型船グランマ号でキューバ東南部に上陸した。すぐさま政府軍の攻撃を受け、たった数十人の革命軍は壊滅した。

生き残った12人は山岳地帯に逃げ込みゲリラ戦を開始した。国内の反政府勢力と合流し、国民の支持を得ながら、革命軍は勢力を増していった。１９５９年1月8日、革命軍は首都ハバナを制圧した。

１９６１年、カストロはキューバ革命を「社会主義革命」と位置づけ、その後キューバ共産党の第一書記に就任した。ゲバラはボリビアの革命運動に身を投じて死んだ。

ＡＡＬＡと呼ばれたアジア、アフリカ、ラテンアメリカの国々では、往々にして民族独立と社会主義革命は不可分だった。キューバ革命は左翼ナショナリズムの結晶だった。

カストロが後から「社会主義革命」と位置づけたように、キューバ革命は理屈抜きの革命だった。マルクス主義の教科書に書いてある類型的なものではなかった。ソ連、中国、ベトナム、キューバには資本家や労働者はいなかった。いたのは地主と農民である。いわば半封建的革命だったのだ。その革命の現実はマルクス主義の理論を超えていた。

私にはキューバ革命は衝撃だった。当時、日本の左翼政党や党派は、綱領、大衆運

次なる革命に身を捧げた。

キューバ革命はそんな日本的な動等の周到な計画による革命を目指していた。だが、キューバ革命はそんな日本的なマルクス主義の常識を覆した。何しろたった12人の武装闘争で革命が成功したのだ。その後、カストロは内政に干渉しない形で他国の革命を支援した。ゲバラは革命後、次なる革命に身を捧げた。

キューバ革命の理念は「少人数」「武装闘争」「インターナショナリズム」だった。旧左翼はキューバ革命を否定した。武装闘争路線を選ばず、議会の多数派工作に甘んじ、自主独立という名目で他国に対する支援を惜しんだ。

一方、新左翼は少人数であろうとも武装闘争しかないと考えた。新左翼の武装闘争の矛先はやがて内部に向き、内ゲバに陥った。

新左翼の青年にとってカストロとゲバラはヒーローだった。味も分からない葉巻を吹かしたものだ。しかし、そこには単なるファッションを超えたものがあった。その憧れは「自分も革命で死ぬのだろうな」という覚悟に裏づけられていた。特にゲバラの〈三十まで生きられるか〉という言葉は我々を惹きつけた。

だが、日本で革命は起きなかったし、三十まで生きられるか分からなかった新左翼の青年は古稀を迎えた。私だってゲバラより長生きするとは思っていなかった。右翼だって三島由紀夫より長生きするとは思っていなかっただろう。左右問わず、覚悟は試されないまま終わったが、いまやそんな覚悟すら全く見られない。

　そしてとうとうカストロが死んだ。この寂しさと安堵感は何だったのだろうか。それは恐らく、もう二度と自分が時代の主体になることはないという寂しさと、焦らなくても自然に死ぬという安堵感だろう。

　私は次の時代について理想を抱き、そのために身体を張ることはあるまい。私は次の時代とそういう関わり方をすべきではないのだろう。我々の時代は終わり、彼らの時代が始まっているのだ。そこに「三十まで生きられるか」という覚悟はなくとも何も言うまい。

　とはいえ、本誌でものを書く以上、「これでいいのか」「こう在るべきではないか」という主張は続けざるをえない。小言幸兵衛の遺言にいま暫くお付き合い願う。

（２０１６年12月）

〈自分の最期〉をどう迎えるのか

西部邁が自死した。訃報に接した瞬間、『友情』という著作を思い出した。題名通り、西部さんと在日韓国人の友人との友情を綴ったものだ。友人は自殺してしまった。西部さんはその事実を噛み締めながら、自殺について真剣に思索を深めていた。それが咄嗟に思い出されたのである。

私も自殺を考えたことがある。会社が倒産して数十億の借金を背負った。資金繰りがどうにもならず、女房子供を食わせられない。自分が死ねば保険金が入る。ある夜、意を決してダムに向かって車のアクセルを踏み込んだが、直前でブレーキをかけた。

私の自殺未遂は肉体的なものだったが、西部さんの自死は思想的なものだったのだろうか。こんな問いに意味はない。自死の理由はいくつもあるだろうが、自死に限らず人間の言動は論理的に解釈できるものではない。

そもそもいくら考えてみても人の心は分からない。それならば、あれだけ家族を愛し、あれだけ頭のいい人が考え抜いて選んだことだ、アレコレ余計なことなど言わずに黙って受け止めればいい。

それでも訃報に接して以来、ずっと西部さんの心中を考えてしまう。その沈黙に耐えられず、無益なことだと知りながら、何事かを口にせずにはいられない。以下の文章は私がいくら考えても分からないことを勝手に考えたことにすぎないと断っておく。

西部邁は学生運動で60年安保闘争に身を投じた後、保守思想を掲げる論客として活躍したと、一般的に考えられている。左翼から右翼に転向したと批判されることもある。だが、西部さんは決して党派的な人間ではなかった。むしろ党派性を嫌悪していた。

右翼にしろ左翼にしろ、党派的な人間は誰かの思想を「正しいもの」として自分の「思想」とするが、それは「イデオロギー」である。西部さんはナントカ主義のマニュアル通りにイデオロギーを振りかざす連中が嫌いだった。西部さんは保守のイデオローグだったかもしれないが、自分が血を吐くように絞り出した思想をイデオロギーとして拝借する自分のエピゴーネンも嫌いだっただろう。

その意味で西部邁は党派性から独立した自由人だった。西部邁は西部邁であり、左翼でもなければ右翼でもなかった。西部さんは左翼と決別して右翼に近づいていった。左翼に絶望して右翼に希望を託したと言ってもいい。しかし、最後は右翼にも絶望したのではないか。

西部さんにとって60年安保闘争は自分の言動がささやかながら社会を動かすことができるという原体験だったとしたら、その後の言論活動はそれを裏切り続けるものだったかもしれない。

おそらく西部さんは虚しさを抱えていただろう。何も変わらない社会に対する虚しさ、聞く耳を持たない民に対する虚しさ、そうと知りながら言葉を投げかけざるをえない自己に対する虚しさ。こういう虚無感が自死の理由の一つかもしれないし、そうでないかもしれない。詮ないことを言っているようだが、それは最初から承知の上だ。

西部さんと私は世間からは右翼と左翼と思われているらしいが、私たちは気が合った。二人とも喧嘩っ早い方だと思うが、喧嘩した記憶はない。それはお互いに誰かを相手にする時は、党派性や政治的立場ではなく一個の人間として対峙していたからだろう。

少なくとも私は『友情』を読んで、西部さんが自殺した友人に対して在日朝鮮人である前に一人の人間として向き合っていたことに共感を覚えて以来、西部邁という男が気に入っていたし、実際に気が合ったと思っている。

一度、西部さんとこんな話をしたことがある。

私が「愛国心なんて嫌いだ。心なんて人それぞれだ。その心を国家が一つの方向に持っていくことが気に入らない」と言ったら、西部さんは「そりゃそうだ。しかし他国から侵略されたらどうするよ」と答えた。

それに対して「その時は誰がやらなくても自分で銃を担いで抵抗しますよ。ただ私は個人でやる。軍事組織の一員として集団的にやるなんて真っ平御免です」と言ったら、西部さんは「それはテロリストの思想だぜ」と愉快そうに笑っていた。

その西部さんも逝ってしまった。私も古稀を過ぎて数年経つ。自分の順番が着実に近づいていることを実感するにつれ、「お前は〈自分の最期〉をどう迎えるのか」という問いが切実に迫っている。

（2018年2月）

第四章

沖縄論

1972．05	沖縄返還
1996．04	普天間基地返還合意
2014．11	沖縄県知事選挙で翁長雄志当選
2015．10	辺野古埋立承認取消
	国と県の法廷闘争開始
2016．12	最高裁で沖縄県の敗訴確定
2017．04	埋立護岸工事開始
2018．08	翁長雄志死去
2018．09	沖縄知事選で玉城デニー当選
2018．12	辺野古で土砂投入
2019．02	辺野古埋立の是非を問う県民投票

〈沖縄を返せ　沖縄に返せ〉

11月16日に実施された沖縄県知事選挙では、普天間基地の辺野古移設反対を掲げる翁長雄志氏が圧勝した。翁長氏は現職の仲井眞弘多氏に10万票もの差をつけ、得票率は51・22％に上った。

沖縄県民は改めて「辺野古移設反対」の民意を示したことになる。しかし菅官房長官は「辺野古移設についても、粛々と進めていきたい」と述べ、政府は選挙結果を無視する考えを示した。

一連の報道に接しながら、学生時代によく歌っていた「沖縄を返せ」という歌が脳裏に甦った。最後は「沖縄を返せ　沖縄を返せ」という歌詞で締めくくられるのだが、私は当時からこの歌詞に違和感を持っていた。そして「沖縄を返せ　沖縄に返せ」の方が相応しいと感じていた。それから50年、何とも言えない複雑さを帯びながら、その想いはいよいよ強まっている。

戦後日本の平和ボケとすら揶揄される程にのほほんとした暮らしは、米軍基地に押し潰された沖縄の犠牲の上に成り立ってきた。だが、本土でぬくぬくと育った人間には、沖縄の苦しみが分からない。

それは私も例外ではない。沖縄はあまりにも離れた存在で、そこに住む人々に思いを馳せることができなかった。学生時代こそ本土復帰運動に身を投じたものの、１９７２年の復帰後は再び沖縄に対して鈍感になった。

東京や大阪では大規模な米軍基地があり、軍用機が低空で飛行して時々墜落するなど想像もつかない。街を歩く米兵に自分の妻や娘が強姦されるなど想像もつかない。だが、それが現実に沖縄で起きても何ら違和感を持たない。

なぜか。「沖縄は、そういうものだ」という暗黙の了解ができているからである。だから沖縄に重荷を担がせながら、その自覚もなく悪気もなく、のほほんと暮らして憚らない。

しかし、沖縄では生身の人間が傷つきながら生きているのだ。それは本土復帰後も変わっていない。戦後70年間、そして復帰後40年間、沖縄は一貫して米軍基地の下で呻吟し続けている。

辺野古移設反対は、「沖縄は、そういうものではない」「なぜ本土は沖縄の苦しみを分かってくれないのか」という悲鳴である。だが、「沖縄は、そういうものだ」という暗黙の了解に捉われた本土には、その悲しさ、寂しさが伝わらない。

実際、復帰40周年に当たって琉球新報と毎日新聞が合同で実施した世論調査によれば、日本全土の0・6％にすぎない沖縄に在日米軍基地の7割が集中していることを「不平等だ」と答えた人の割合は、沖縄県民は69％だったのに対し、全国調査では33％だった。

また住んでいる地域に在沖米軍基地が移されることへの賛否を問う全国調査では、賛成24％、反対67％だった。米軍基地集中を「不平等」と回答した人のうちでも、自らの地域への基地移設反対は69％に上っている。

この頃、沖縄県内のラジオ番組では普天間移設問題をめぐり、こんな例え話をして共感を呼んだという。

「沖縄の人が右手に重い荷物を持っていた。一緒に歩く本土の人に『ちょっと持ってくれない』とお願いした。本土の人は答えた。『何で、左手で持てばいいさ』。一緒に持ってはくれなかった」（「琉球新報」２０１２年5月10日付）

こういう本土に対する沖縄の悲しみは、もう絶望に変わってしまったのかもしれない。だからこそ、翁長氏も参加した辺野古移設反対集会で「沖縄を返せ」が歌われたのではないか。それは「沖縄を返せ　沖縄に返せ」という悲しい叫びではないのか。

もはや沖縄には〈保守と革新〉では語り尽くせない、〈沖縄と本土〉でなければ語り尽くせない歴史の想いが渦巻いている。だからこそ、今回の知事選で翁長氏は「オール沖縄」「イデオロギーではなくアイデンティティ」と訴え、対立軸が〈保守と革新〉から〈沖縄と本土〉つまり〈重荷を背負わされた者と背負わせた者〉に変わったのだ。いまや沖縄と本土の、本当の姿が剥き出しになった。

私自身、沖縄の犠牲の上に70年間生きてきた。偉そうなことは言えない。だが、本土の一人として同胞沖縄の声を真正面から受け止めたい。そして本土が沖縄、そして本土自身と向き合うチャンスを与えてくれたことに感謝したい。

これを契機に、我々日本人は自らの醜さに立ち向かわなければならない。そして、ここに沖縄を含む日本の未来が懸っていることを、努々忘れてはならない。

（２０１４年12月）

〈独立国の思考様式〉を回復せよ

対米従属構造において日本の国益を実現することは、もはや限界である。人口減少で衰退している日本が自業自得の戦争で衰退しているアメリカの下請け国家になる、集団的自衛権で自衛隊がアメリカの尖兵になる、TPPで日本が外資の草刈り場になる、こんなことが国益と呼べるのか。対米従属の下で安全保障、経済上の国益を実現することは、もはや限界である。

だが、本質的な問題は、安倍政権やその支持者たちには、これらの政策が国益に見えているらしいという事実だ。私が対米従属構造に根源的な限界を感じるのは、こういう錯覚をもたらす思考様式そのものである。我々は知らず知らずのうちに属国の思考様式に嵌り、属国の国益を追求しているのだ。その象徴が沖縄である。

そもそも日本全体の0・6％の面積しかない沖縄に73・8％の在日米軍基地が集中していることは異常である。我々はこの異常事態を率直に「異常だ」と認めなければならない。異常事態を「異常だ」と認めないどころか「正常だ」と言うならば、その思考様式が異常なのだ。

安倍政権とその支持者は「普天間基地は辺野古に移設しろ。日米が中国の脅威に対抗するために受け入れろ。我侭を言うな」と考えているようだが、翁長知事は「『戦後レジームからの脱却』とよく言うが、沖縄では『戦後レジームの死守』をしている」と言っている。もっともである。

琉球新報によれば、米国防総省の資料には辺野古新基地について「運用年数40年、耐用年数200年」と書かれているという。「戦後レジームの死守」どころか、「戦後レジームの強化」ではないか。

安倍は「23世紀まで占領軍の基地を置く。そうすれば23世紀まで日本の安全は保障される。だから23世紀まで沖縄は基地を負担しろ。それが国益だ」と言っているに等しい。そのために機動隊を導入して反対する住民を排除、事態は緊迫している。これが独立国か。

本来、沖縄の痛みは本土の痛みでなければならない。だが、本土は沖縄が悲鳴を上げようが耳も貸さない。身体の一部が切られても痛みを感じないならば、それは身体の一部ではない。同胞が傷つけられても平気ならば、それは同胞ではない。だからこそ、本土の日本人は何の痛痒も感じることなく、「国益」のために沖縄を手段にできる、つまり沖縄を植民地扱いできるのだろう。

本土の人間は沖縄に対してもの凄く冷たい。圧倒的に無関心である。本土の一般的な認識は、なんとなく琉球処分があって、なんとなく地上戦があって、なんとなく在日米軍基地がある、別にそれでいいではないか、自分の知ったことではないという程度ではないか。独立国の国民として信じられないほど情けない。そのような態度が沖縄の人々にどう映るか。何と残酷で、何と醜い姿か。

我々は沖縄の基地問題を何とかしなければならない。沖縄は基地経済でもっているから、基地がなくなって困るのは沖縄だというようなこともよく言われるが、こんな言説は植民地扱いを正当化する詭弁にすぎない。

沖縄は地政学的にはアジア全体の海洋貿易の拠点になれる位置にあり、歴史的には400年以上の琉球王国の歴史がある。沖縄の人々は新しい経済を作る能力を持っている。

また、普天間基地の抑止力は辺野古移設でなければ維持できない、中国が攻めてきたらどうするというようなこともよく聞くが、中国が攻めてきたら我々が戦えばいいのである。日本を守るために戦うのはアメリカ人ではない、日本人である。いざとなれば、私は齢七十の老兵として銃を取ってゲリラ戦を行う。それが日本人に生まれた私の矜持だ。それさえあれば勝てる。逆にそれがなければ他に何があろうと勝てはしない。

その腹も括らず、アメリカに守ってもらう代わりに沖縄を献上し、左団扇で暮らそうとするような国民は、独立国の国民に値しない。

翁長知事は3万5000人を集めた今年の県民大会の挨拶を、こう締めくくっている。

「どうか日本の独立は神話だと言われないように、安倍首相、頑張ってください」。

この沖縄の叫びを、本土の国民一人一人が真摯に受け止め、〈独立国の思考様式〉を取り戻す契機としなければならない、同胞沖縄のために、日本の独立のために。我々に残された時間は少ない。

（2015年11月）

〈但し沖縄を除く〉という民族意識

昨年は沖縄の問題が顕在化した一年だった。米軍属による女性強姦殺人死体遺棄事件、大阪県警機動隊の土人発言、辺野古埋立訴訟における沖縄敗訴、そしてオスプレイ墜落——。

しかし大多数の日本人は特に関心を持っていないか、持っていても政府や機動隊、米軍の立場を擁護している。本土で同じ事件が起きても、同じことが言えるのか。本土の人間には沖縄の悲鳴が聞こえていない。

なぜこうなのか。あえて言う。差別が存在するからである。

最も残酷な差別は、差別していることに気づいていない自覚なき差別である。一連の事件を見れば、日本の民族意識には〈但し沖縄を除く〉という但し書きがついていると言わざるをえない。

この差別意識は左右を問わない。右翼は「地政学的に沖縄の在日米軍は必要だ」と言うが、沖縄を本土防衛に必要な防波堤として道具扱いしているだけだ。左翼もまた

「沖縄の米軍基地を撤去せよ」と言うが、沖縄を自分たちの運動の梃子として道具扱いしているにすぎない。

いずれも沖縄を機能的に語っている。つまり、沖縄をモノ扱いしている。左右の言説や運動、民族意識には、根本的な欠陥がある。

私自身の反省も込めて言う。１９６０～70年代は沖縄返還を求める学生運動が隆盛を極めた。各大学で「沖縄小笠原返還同盟」が結成され、米大使館前で運動歌「沖縄を返せ」が歌われた。

その中に一人の沖縄出身の学生がいた。当時、本土と沖縄の往来にはビザが必要であり、彼は「留学生」だった。彼は我々の沖縄返還運動に白けていた。非常に冷めていた。

そんな彼に対して、左翼学生は「なぜ命懸けでやらないのか」と怪しんでいた。もっと言えば、反感を持っていた。そこには「沖縄出身のやつは返還運動に全力を尽くして当然だ。それなのに、なぜ沖縄出身のやつが全力を尽くさないのか」という暗黙の了解がひそんでいた。

ある意味、左翼学生は彼を運動の「駒」として見ていたのだ。だから、なぜ彼が運動に消極的なのかを理解しようとしなかった。返還運動は彼を置き去りにした。左翼学生は彼と同じ地平に立ってはいなかった。

ある時、彼は私に「本土の沖縄に対する意識はおかしい。差別意識があるとしか思えない。あまりにも無責任だ」と言った。その言葉は私を刺した。

運動の中で、左翼学生は米大使館の前で「沖縄を返せ　沖縄を返せ」と歌っていた。私も歌っていた。だが、それは「沖縄を返せ　日本に返せ」という意味だった。彼にとって、この歌は、心から歌えるものだっただろうか。本当は「沖縄を返せ　沖縄に返せ」と歌うべきではなかったか。

左右を問わず、本土の人間は沖縄の人間と同じ地平に立ってはいない。ヤクザの世界でもそうだ。

ヤクザになる背景には、貧困や差別があることが多い。沖縄出身のヤクザも少なくない。だが、「鉄砲玉」の役割を担う構成員は、沖縄出身者の比率が非常に高い。沖縄出身者の場合、貧困や差別の先に行き着いたヤクザの世界でも貧困や差別が待っている。

日本社会は右から左、上から下まで沖縄に対する差別がある。日本人の基層には、沖縄に対する拭い難い差別意識が潜んでいる。それを形成したのは、本土と沖縄の歴史である。江戸時代の薩摩支配、明治時代の琉球処分、戦中の沖縄戦、復帰後の在日米軍基地……。

近代日本は沖縄の犠牲の上に繁栄を築いてきた負の歴史を抱えている。現在でも日本国家の安全保障が沖縄に集中する在日米軍に支えられている以上、本土に生きる人間は意識的か無意識的かを問わず、否応なく沖縄の犠牲の上に平和を享受している。

だが、ここで思い出すことがある。学生運動時代、ある沖縄出身の年輩者から子供の頃の戦争体験を聞いた。「沖縄戦では特攻機が突っ込んでいく時、みんなで拍手していた。ほとんど撃墜されたが、それでも拍手を送った」と。

確かに本土は沖縄を犠牲にし続けてきた。それでも特攻機が沖縄の空を舞ったあの時は、本土と沖縄は同じ地平に立っていたのではないか。一心同体だったのではないか。沖縄に対する責任を果たそうとしたのではないか。

だが、戦後日本は再び無自覚のまま、沖縄に犠牲を強いている。だから「あまりにも無責任だ」という「留学生」だった彼の言葉は、私を未だに刺す。本土に生きる我々は、負の歴史を引き受けた上で、沖縄に対する責任とは何かを考え、それを果たさなければならぬ。

（２０１７年１月）

〈属国の矛盾〉

ナショナリズムが再び頭をもたげているいま、改めて「民族と国家」という問題について考えたい。

民族には二種類ある。国家を持つ民族と国家を持たない民族だ。近代国家は基本的に前者が後者を抑圧する構造を持っており、常に分離独立の可能性を抱えている。スコットランドやカタルーニャの独立問題、ロヒンギャへの迫害はここから生まれたものだ。

日本も他人事ではない。日本民族は国家を持っているが、アメリカの庇護下にある以上、完全な独立国家とは言えない。その矛盾が沖縄で噴出している。

私はここで沖縄問題が民族問題であるかどうかは判断しない。だが、本土の沖縄に対する仕打ちは、まるで異民族に対するそれに等しい。少なくとも民族同胞に対する仕打ちとは思えない。

沖縄と本土のすれ違いは、どこから来るのか。最大の理由は、日本が〈属国の矛盾〉

を沖縄に押しつけていることである。

つまり、沖縄は構造的に他国から侵略される脅威と同時に在日米軍に事件・事故を起こされる脅威に晒されているがゆえに、沖縄では「沖縄を守ること」と「日本を守ること」が矛盾し、両立しがたいのである。

だからこそ、沖縄では「親米保守」が形成されなかった。本土で「親米保守」が形成できたのは、米軍基地の負担を沖縄に押しつけたからだろう。本土も米軍基地を抱えている間は沖縄よりも激しく反米基地闘争を展開していたのである。

反米基地闘争は、占領軍を拒絶するという意味で本来保守的な運動だ。その意味で辺野古移設を拒否する沖縄の革新勢力は「保守的」なのである。今年2月には名護市長選、11月には沖縄知事選が行われるが、おそらく「保守的」な革新勢力が勝利するだろう。

本土から見て沖縄の革新勢力が「保守的」に見えないのは、「沖縄を守ること」と「日本を守ること」の間に矛盾があるからだ。それゆえ本土からは彼らの「沖縄を守ること」が「日本を守らないこと（＝沖縄を守らないこと）」に見えるのだろう。裏返せば、沖縄にとって「日本を守ること」は必ずしも「沖縄を守ること」に繋がらないということである。

米軍統治時代に沖縄人民党という政党があった。沖縄人民党は米軍統治下で共産党という名称が使えなかったのだが、実質的には沖縄共産党だった。沖縄人民党は祖国復帰後、日本共産党と合流して日本共産党沖縄県委員会になったが、その際、一部の党員は「日本共産党に合流したらその支配下に置かれる。それだから沖縄人民党のままでいい」と反対していた。沖縄の革新勢力の間でも、本土に対してイデオロギーを超えた拒否感があったのだ。

一方、本土には沖縄に対してナショナリズムを超えた差別意識がある。そうでなければ、本土は沖縄の痛みを民族同胞、すなわち自分たちの痛みとするはずだが、そうしているとは思えない。

それゆえ何の痛痒もなく「沖縄の米軍基地は地政学的に仕方がない」「中国の脅威に対抗するためにやむをえない」などと言えるのだ。これらの発言は「沖縄は本土が耐えられなかった米軍基地に耐え続けろ」「日中戦争の暁には第二の沖縄戦を行え」と言うに等しい。

結局のところ、本土は沖縄をモノとして扱っているのだ。私が沖縄の祖国復帰運動に関わっていた時、新左翼系の諸君に至っては「沖縄奪還闘争」と言っていた。「奪い返す」とは、モノに対して使う言葉だ。これなども同罪である。

それでは今後、本当の意味で沖縄を沖縄に返すにはどうしたらいいか。本土は沖縄に寄り添うべきだという意見がある。しかし本土と沖縄の乖離は埋められないし、埋められると考えること自体が思い上がりではないか。

私は沖縄を沖縄に返すことで、本土と沖縄がうまく付き合っていくために連邦制を導入すべきだと考えている。それほどまでに本土の沖縄に対する仕打ちは酷い。しかし、それほど酷い仕打ちをする人間がこういう問題意識を持つことはない。無念ながら、沖縄の苦しみは続くと言わざるをえない。

（2018年1月）

〈差別の論理〉

2月24日、新基地建設に必要な辺野古埋め立ての是非を問う沖縄県民投票が行われた。反対票は40万以上、全体の7割を超えた。沖縄は改めて辺野古反対の民意を突きつけた。これに対して、本土はどう応えたか。

安倍は「今回の県民投票の結果を真摯に受け止め、……これからも御理解いただけるよう全力で県民の皆様との対話を続けていきたい」と述べた。要するに、県民投票の結果を無視して工事を強行するということである。事実、政府は辺野古への土砂投入を再開している。

また、琉球新報が沖縄を除く46都道府県の知事を対象に行ったアンケートによると、県民投票の結果を日米両政府は尊重すべきかという問いに、「尊重すべきだ」と答えたのは岩手と静岡の2県だけだった。政府は建設工事を断念すべきかとの問いに、「断念すべきだ」と回答したのは岩手1県だけだった。他方、一部のメディアや左翼は政府の横暴に怒りの声をあげ、沖縄のために活動しているようだ。

しかし、私は国家もメディアも民衆も信じていない。国家も民衆も〈差別の論理〉は通底しているからだ。差別の論理とは何か。沖縄を手段として利用することを正当化する論理一切である。

私は1960～70年代に沖縄返還を求める学生運動に関わっていた。その中に、米軍施政権下の沖縄から来た「留学生」が一人いた。彼は左翼学生の沖縄返還運動に冷め切っていて、白い眼を向けていた。ある時、彼は私に「本土には沖縄に対する差別意識があるとしか思えない」と言った。

結局、左翼学生は「反米」のために沖縄を利用していたのだ。いま、辺野古埋め立てに反対する本土の人々は「反米」や「反安倍」のために沖縄を利用していないと言い切れるか。

沖縄に対する差別は政治に限った話ではない。良い悪いではなく事実として指摘するが、戦後、沖縄県人と朝鮮人は同じ扱いだった。

ヤクザの世界では真っ先に鉄砲玉に使われるのは朝鮮人か、さもなければ沖縄県人だった。土方の世界でも、沖縄県人と朝鮮人は安い賃金しか払われず、一番キツイ仕事をやらされていた。

私の実家は解体業をやっていたが、夏場の解体工事で出た廃材をドラム缶に入れて燃やす仕事がある。真夏の炎天下に廃材をドラム缶の炎に焼べながら、よく沖縄と朝鮮の人夫がぶっ倒れていた。私はできるだけみんな平等にやろうとしたが、目の届かないところではそういうことがあった。

上下左右を問わず、日本は常に沖縄を手段として利用してきた。それを正当化するために、国家と民衆はそれぞれ〈差別の論理〉を駆使してきた。差別の論理は必ず正義の皮を被っている。曰く、普天間基地の危険性除去。曰く、中国の脅威に対抗するための地政学的重要性。曰く、戦争の惨禍から生まれた平和主義を守る護憲の象徴。曰く、安倍政権から民主主義を守る砦。曰く、反米の最前線。

本土の利害を反映していない沖縄論がどこにあるか。いずれも「沖縄を返せ　日本に返せ」と歌っているにすぎない。だが、私は「もううんざりだ」などと言うつもりはない。沖縄県民の方がうんざりしているだろうから。

さて、ここまで私は「沖縄と本土」を対置してきた。その根底には、沖縄と本土は一体ではなく別々の存在であるという暗黙の前提がある。この前提から議論を進めていくと、沖縄（琉球）と本土（ヤマト）は同一民族か、それとも異民族かという問題にぶつかる。だが、日琉同祖論にせよ日琉異民族論にせよ、最終的には本土の利害を反映した〈差別の論理〉に回収されざるをえない。

それゆえ、この問題について持説を述べることは差し控えるが、いずれにせよ現時点で沖縄と本土の利害関係が対立している以上、沖縄と本土は別々の主体だと考える。それでも私の沖縄に対する同胞意識は揺るぎない。

そして沖縄返還から半世紀近く経ったいま、沖縄の同胞は「沖縄を返せ　沖縄に返せ」と歌っている。それならば、本土に生きる同胞の一人として私が言いたいこと、私に言えることは唯ひとつ。「沖縄のことは沖縄で決めればいい」、すなわち「沖縄を返せ　沖縄に返せ」、これだけである。

（２０１９年４月）

香港デモの本質は〈分離独立運動〉だ

香港で過去最大のデモが発生した。火種は中国本土への容疑者引き渡しを認める「逃亡犯条例」改正案である。6月から100万人規模の香港人がこの悪法に対して抗議活動を続けているが、これは市民運動ではない。〈分離独立運動〉の一種と見た方がいい。

ここに衝撃的な数字がある。先月、香港大学が市民約1000人を対象にアイデンティティに関する調査を行った結果、「香港人」という回答は全体の52・9%、18～29歳の若年層では75%に上った。「中国人」という回答は10・9%にすぎなかった。

アイデンティティは「我々は彼らとは違う」という異議申し立てから発生する。香港の抗議活動の裏には、「我々（＝香港人）は彼ら（＝中国人）とは違う」という真の抗議が隠されている。

現にデモでは「香港は中国ではない」「香港独立」という旗が掲げられている。すでに「我々は香港人である」というアイデンティティは確立しており、放っておいたら香港社会は国家に脱皮するだろう。

香港問題は国家統合の危機になりつつある。共産党政府は香港をイギリスが残した獅子身中の虫、トロイの木馬として苦々しく見ているに違いない。

周知の通り、「香港」（香港島、九龍半島、新界）は150年間イギリス領だった。まず香港島が1842年の南京条約で清朝からイギリスへ割譲され、次に九龍半島が1860年の北京条約で割譲、最後に新界が1898年の展拓香港界址専条で99年間租借された。

皮肉なことに、イギリスに割譲された香港は安息の地になった。大陸ではアヘン戦争、太平天国の乱、アロー戦争、清仏戦争、日清戦争、義和団事件、辛亥革命、日中戦争、国共内戦、文化大革命、中越戦争など1世紀以上も戦乱が打ち続き、権力闘争と戦火の絶える暇がなかったからだ。

こうして香港は亡命者の楽園になった。権力闘争の敗者、戦火を逃れる難民、社会に馴染めない余計者など、さまざまな人間が寄せ集まり独特な文化を持つ街を作り上げていった。それだけに彼らは用心深い。私も香港に友人がいるが、みな政治の話題は注意深く避ける。大陸で辛酸を舐めた香港人の伝統的な知恵なのだろう。

やがて転機が訪れる。1984年、イギリスは中華人民共和国と香港の返還に合意。

1997年7月1日、香港は150年の植民地支配を脱却して本土復帰を遂げた。

その日、私は香港にいた。返還セレモニーは盛大に行われた。しかし、それは本土復帰の喜びではなく植民地解放の喜びだったのかもしれない。本土から追い出された香港人には、中国共産党に対する抜きがたい猜疑心がある。

香港と中華人民共和国の関係は険悪である。文化大革命の時、香港でも毛沢東派の紅衛兵運動が盛り上がり、1967年の六七暴動に発展した。私は「いよいよ北京が香港を飲み込むか」と事態の行方を見守っていたが、あっけなく収束した。そこには大陸に対する香港の猜疑心が潜んでいたのだろう。

それは1984年の香港返還で白日の下に晒された。返還合意後、香港ではカナダやオーストラリアへの移住が大流行したのだ。大陸からの亡命者たちは、再び亡命した。

返還後の2003年には民主化デモ、2014年には「雨傘運動」として知られる反政府デモが起こった。それに対して大陸はソフトな弾圧で応えた。2015年、中国政府に批判的な書籍を取り扱う書店の店員5名が失踪、のちに店長は中国本土で8カ月監禁されたことが明らかになった。2016年には民主派の地方議員の資格が剥奪された。

そして今回のデモである。香港と大陸の緊張関係は確実に強まった。今後、大陸はハードな弾圧に乗り出す可能性がある。その時、台湾と違ってアメリカは手を出さないだろう。大陸を追われた亡命者たちが香港を追われる日も遠くないのかもしれない。だが、これは我々日本人にとって他人事だろうか。外国の統治を経て本土復帰を果たしたが、形だけの民主主義しか与えられず、分離独立運動の可能性を孕みながら抗議活動が続いている――どこかで聞いたような話である。それも、ごく身近で。

保守派は香港の抗議活動を持ち上げながら中国政府を批判して悦に入っているらしいが、いつの時代も間抜けは対岸の火事に夢中になりすぎて足元に火がついていることに気づかないものだ。

（２０１９年７月）

第五章 差別論

2012　中国で大規模な反日デモ
2013　日本でヘイトスピーチが社会問題化
2014　シリア内戦激化
2015　欧州難民危機、欧米で排外主義台頭
2016　ブレグジット、トランプ現象
2019　日韓関係悪化、韓国で反日デモ多発
2021　欧米でアジア系へのヘイトクライム増加

なぜ民衆は民衆を〈差別〉するのか

世界中で分断が起きている。欧米では白人至上主義、移民排斥、分離独立が進行し、日本でも反中嫌韓、在日、沖縄ヘイトが高揚している。これらの分断の背景には差別がある。

分断の問題は差別の問題である。それゆえ我々は分断の前に差別を問わなければならない。差別に反対すれば済む話ではない。その善悪を一度カッコに入れ、差別とは何かを考える必要がある。

これまで左派を中心に、知識人は権力論の文脈で差別を捉えてきた。曰く、差別は国家権力が民衆を分断統治するために作り出した道具である、それゆえ革命を起こして国家権力を打倒しなければ差別はなくならない——。

だが、社会主義国で差別がなくならなかったのは周知の通りだ。誤謬に陥ったのは、差別は権力論の問題であるという前提が間違っていたからである。

差別の問題は「公」ではなく「民」の次元に属する。たとえばユダヤ人差別や部落差別は「公」の空間ではタブーであるにもかかわらず、「民」の空間に根強く残っている。差別は民衆の生活から生まれ、そこに根ざしているからだ。差別の起源は権力の起源より古いのだろう。

だから立てるべき問いは、なぜ民衆は民衆を〈差別〉するのか、これである。

差別は生活実感として個々人の心身に沁みこみ、皮膚感覚としてこびりつく。ここから出発しない限り、どんな差別論も机上の空論になる。戦後知識人は自己の経験から遊離したところで、差別を抽象的・公式的に観念したから失敗したのだ。

私の原点は生い立ちにある。私は京都伏見のヤクザの家に生まれ、在日朝鮮人や被差別部落に出自を持つ者たちの間で育った。

私と一緒に暮らしていた連中は、良い奴ばかりだった。そんな彼らが白い目で見られる。だが、白い目で見る奴にも見られる奴にも、同じ赤い血が流れている。何が差別だ、この世はおかしい——子供心にそう思っていた。その後、文筆業を生業とし、被差別部落の近代史を辿る『近代の奈落』（幻冬舎アウトロー文庫）を執筆する中で、自らの出自がそこにあるという事実を知った。

だが、同じ赤い血が流れているにもかかわらず、民衆は民衆を差別する。同じ赤い血が流れているという理性では拭い切れない何かがある。それは差別を欲望する人間性そのものではないか。

人間は差別を欲する。なぜか。自己を肯定するために、である。特に資本主義社会では、貧困層が差別を欲する傾向がある。資本主義社会では、たとえ自力ではどうにもならない構造的問題によって貧困層になったとしても、「自己責任」の一言で切り捨てられる。

人種差別はそれに対する抗議であり、自己防衛だろう。我々が貧乏なのは自業自得ではない、我々は差別されており、我々の富が不当に奪われた結果なのだ――。そして奪った誰かが差別の対象になる。アメリカの白人至上主義者にとって、それはユダヤ人であり、中国人であり、不法移民である。日本の嫌韓論も同じ心理構造を持っているだろう。

差別されている者同士が、互いに差別することもある。その時、残念ながら、その人間の眼は生き生きとしている。私は、その眼の輝きが忘れられない。差別は安堵感、心地よさ、生きやすさを与えてくれる。たとえそれらが幻想にすぎないとしても、人間は自己を肯定したいという渇望から、差別とそれによる幻想を欲する。

もう一度問う。なぜ民衆は民衆を差別するのか。差別されているからである。差別される側から差別する側へ回り、差別によって被差別を乗り越えようとする。この逆説が私なりの結論だ。

差別が人間性に根ざしている以上、これは絶対になくならない。だが、差別は絶対に許せない。それならば、どうするか。

私にとって、その答えは子供の時分から変わっていない。目の前で差別している奴をぶっ飛ばすだけだ。そのために私はどれだけ喧嘩をしてきたか知れない。正義感に駆られたのではない。とにかく人間を差別して苛める、その腐った性根が心底気に入らないだけだ。そんな惨いことを見逃せないだけだった。

差別論についてほんの一部しか語れていないが、紙幅が尽きた。興味のある読者は、『近代の奈落』や『橋下徹現象と部落差別』（モナド新書）を読まれたい。いずれまた語る機会もあるだろう。

（２０１７年９月）

〈差別との戦い〉に勝利はない

幼い頃から差別の現場に直面することが多かった。その中で私の心に浮かんだのは、非常に単純な問いだった。なぜ人は人を差別するのか？

この問いに答えを出さない限り、差別問題は解決しないという確信があった。それから文献や論文を読み漁ったが、どれもしっくりこなかった。そこに書かれているのは生々しい体験ではなく抽象的な理論であり、差別そのものではなく差別論だった。「こんなものは何の役にも立たぬ」と、早々に見切りをつけた。

私は自分の足で部落差別や民族差別の取材を重ねていった。その結果、私なりの答えに辿りついた。なぜ人は人を差別するのか？　差別すると気持ちが良いからだ。何より差別すれば差別されないからだ。

差別の根底には、「差別する快楽」と「差別される恐怖」が横たわっている。差別される側よりも差別する側に立つ方がいい——そういう業の深い人間の本性が横たわっている。差別問題は社会問題である以前に、人間そのものの問題である。

差別の現状が過酷であればあるほど、そこから逃げたいという衝動は強まる。人間の逃走本能は死に物狂いでその閉塞状況から脱する逃げ道を探し求める。

しかし脱出口が見つからず必死に逃げ回りながらふと後ろを振り返った時、自分を追いかけてくる差別そのものの中に一条の光を見出す。そして気づくのだ。「差別から逃げるには、差別すればいいのだ」と。「差別している間だけは差別されない、差別する瞬間だけは差別から自由になれるのだ」と。差別こそが差別からの逃走手段なのだ。

差別される者同士がお互いに陰口を叩き合うことがある。その時、その目は妖しい光を宿しながらキラキラと眩いばかりに輝いている。それを「悪である」と一方的に責められる自信はない。何より責めたところで差別はなくならない。

差別は人間の業である。人間が存在する限り、差別はなくならない。問題は、差別をなくした振りをすることだ。差別があるのに、差別がない振りをする社会だ。

近頃は日本でも「差別ハイケマセン」という人道主義的な常識が広がっているから、公衆の面前で差別感情を振り回すような輩は滅多にいない。だが、ＳＮＳの投稿では匿名者の差別感情が爆発しまくっている。現実社会とネット社会の乖離、すなわち建前と本音の乖離が進んでいるということだ。

しかし差別される側からすれば、差別主義者からあからさまな差別感情をぶつけられるのも辛いが、建前では普通に付き合っている相手が腹の中では差別感情を抱えているのも辛いだろう。場合によっては、「明らかな差別」が横行する社会よりも「隠れた差別」がはびこる社会の方が不健全ではないか。

世の中には「差別反対」という正義の旗を振りかざして差別狩りをする善良な人々がいるが、例によって私はそういう連中が嫌いである。彼らは差別主義者を差別していることに無自覚だからだ。差別反対論者に差別された差別主義者は、差別から逃れるためにいよいよ差別感情を燃え上がらせるだろう。

しかし「差別反対」は私も同じである。ただやり方が違うだけだ。私の場合、差別に反対するとは、私の目の前で差別している人間をぶん殴ることだった。正しいからそうするのではない。単に私が気に入らないからそうするだけだ。

なぜ気に入らないか。差別は弱い者いじめだからだ。弱い者ほど弱い者をいじめる。誰かを差別するということは「私は弱い者いじめをする弱い者です」と宣言するに等しい。だが、私はそういう連中に「恥を知れ」などとは言わない。いきなりぶん殴るだけだ。

だから私は自分のことを善人だなどとは更々思っていない。私は弱い者をいじめる

弱い者をいじめるだけだ。「弱い者いじめいじめ」は悪かもしれないが、「弱い者いじめ」は極悪であるという確信だけは持っている。

私の結論は単純だ。〈差別との戦い〉は、永遠のもぐら叩きである。差別問題に根治療法はない。だから永遠の対処療法を続けるしかない。それゆえ差別を根治した気になって、「差別との戦いに勝利した」と祝ってはならない。そんなことはそもそもできやしないのだ。

差別との戦いに最終的な勝利はない。人間は差別との戦いに勝利するためではなく、敗北しないために永遠に戦い続けるしかない。それが差別と戦うということである。

（２０２０年７月）

〈差別と民族〉

日韓関係が戦後最悪だという。巷には「韓国怪しからん」という反射的な反応から「韓国と仲良くしましょう」という優等生の模範解答まで出そろっているが、いずれも能天気にすぎる。日韓対立の基盤が差別感情にあることを見落としているからだ。これは〈差別と民族〉の問題である。

アジアだろうがヨーロッパだろうが、隣国同士はほぼ必ず犬猿の仲だ。数千年の歴史を通してお互いに血を流していない隣国同士など存在しまい。

第二次大戦後はそれに懲りて、戦争は絶対悪であり平和は絶対善であるということになったが、戦争世代が少なくなるにつれ、この価値観はガタガタと揺らいでいる。毎年この季節になるとあちこちで「戦争の悲劇を繰り返すな」「戦争の記憶を継承しろ」などというご高説を拝聴するわけだが、それは戦争を繰り返しそうだからであり、戦争の記憶が継承されていないからである。

要するに、人間は忘れっぽいのだ。異性にフラれようが身内を亡くそうが、人間は永遠に悲しみ続けることはできない。それと同じように、どれだけ戦争で酷い目に遭おうが、人間は永遠に後悔し続けることができない。世代を超えれば尚更である。

それでは、世代を超えて持続するものはあるか。ここに、少なくとも１００年以上は持続しているものがある。隣国に対する差別感情だ。

平時だろうが戦時だろうが、程度の差こそあれ、隣国や他民族に対する差別感情は持続し続けている。実際、隣国に対する蔑称を持たない言語はないはずだ。一例にすぎないが、日本語では中韓に対する「チャンコロ」「チョン」、中国語では日韓に対する「小日本」「棒子」、韓国語では日中に対する「チョッパリ」「チャンケ」という蔑称がそれぞれある。

こういう民族差別はだいたい近親憎悪だ。似て非なるものに対する憎悪である。どうやら完全なる相違よりも些細な差異の方が人間に憎悪を掻き立てるらしい。

さて、日本には韓国に対する差別感情がある。逆も然りである。それゆえ日韓関係を論じるならば、この事実から出発しなければならない。政治・外交問題の根底には、〈差別と民族〉という問題が食い込んでいる。それを自覚せずに「韓国怪しからん」「隣国とは仲良くしろ」などと言ったところで無意味だ。

それでは、我々は民族差別を自覚した上でどうするか。

まず安倍政権の対韓外交はこの民族差別に基盤を置いていると知ることだ。そうすれば、安倍政権に対して有効な批判を加えることができる。

次に自らの民族差別を括弧に入れた上で、歴史を知ることだ。客観的に歴史を見れば日本の侵略性は明らかである。しかし、安易に謝罪しろというのではない。

私も在日韓国人の友人から「日本は謝罪すべきだ」と言われたことがある。私は「俺のような一番韓国寄りの日本人でも、そう何度も謝罪を要求されると腹が立つ。謝るかどうかはこっちの勝手だ」とやり返した。

それから私はこう約束した。韓国に頭を下げはしないが、歴史を歪める者と徹底的に戦い続ける。また民族自決の原則を守る。南北朝鮮の運命は韓国と北朝鮮が決めればいいのであって、戦前のように日本がそれに介入することには徹底的に反対する。それが私なりの謝罪であって、相手に頭を下げることだけが謝罪とは限らない。

ここで厄介なのはアメリカだ。戦後の日韓関係は実質的に日米韓関係であり、それは日韓基本条約が米ソ冷戦を前提に締結されたものからも明らかである。

現在の日韓対立は所詮アメリカの子分同士の喧嘩にすぎず、結局はアメリカの一喝で収束するだろうが、そもそも私にはアメリカが日韓の喧嘩を買うこと自体が気に食わない。日韓の問題は日韓で解決すればいい。アメリカにどうこう言われる筋合いはない。

アメリカ抜きの日韓関係をどう構築するか、それが戦後の日韓関係に問われていることではないか。

とまあ縷々日韓関係について述べた。これらは国家と国家の関係であるが、日韓関係はそれだけではない。そこで蠢いて生きている人間と人間の関係がある。

子供の頃、在日韓国人のいじめられっ子がいた。私は彼のためにいつも喧嘩をしていた。ある日、そいつは「俺は在日だ」と言った。私は「そんなことは知っている。だけど、俺とお前の間に国境があるかよ。何ということはない」と言った。この考えはいまも変わらない。

（２０１９年８月）

第六章

反米独立論

1853　ペリー来航
1945　沖縄戦、原爆投下、敗戦
1952　主権回復、日米安保条約締結
1960　60 年安保闘争、日米安保条約改定
1965　米国がベトナム戦争へ軍事介入
1970　70 年安保闘争
1975　ベトナム戦争終結
1989　冷戦終結
2014　集団的自衛権の行使容認
2017　米トランプ政権発足、米中対立本格化
2021　米バイデン政権発足、米中対立激化

〈日本人〉という自我

我が国の閉塞状況は論を俟つまでもない。その根本理由は、我々が思考停止に陥っていることにあるのではないか。冷戦後四半世紀が経ち、世界は再び動乱の時代を迎えているが、日本だけは相変わらず「対米追従」という国是を盲信している。だが、そろそろ乳離れすべきだろう。

本来ならば冷戦終結を転機とすべきだった。そこで日本は思考停止状態のまま、「アメリカ」という選択肢を選んだ。いや、決断を伴わない以上、それは選択ですらなかった。単なる惰性、現状維持にすぎなかった。我々は改めて我が国の針路について思考、決断、選択をし直さなければならない。

その上で私は対米従属でも社会主義でもなく超国家主義でもない、日本独自の道があるはずだと考えている。その可能性を模索する手がかりの一つは、アジアである。

特にベトナム戦争を再考する必要がある。ベトナム戦争は資本主義対社会主義の冷戦、欧米帝国主義対ナショナリズムの独立戦争という二面性を持っていた。それゆえ日本は自己矛盾を突きつけられた。ベトナムの勝利は、日本にとって西側の盟主が敗北した望ましくない結果だったのか、それともアジアの友邦が独立した望ましい結果だったのかと。

だが、この自己矛盾は戦後に始まったものではない。明治維新以来、日本は常にこの自己矛盾に直面してきたのである。我々は近代的な意味での〈日本人〉という自我を問わなければならない。

自我は他者と出会って生まれるものだ。現在の「日本人」という自我は、ペリー来航に端を発していると言っていい。だが、国際情勢の要請とはいえ、我々はあまりにも性急に「日本人」という自我を形成しすぎたのではないか。つまり、我々は「日本人」という自我を形成強化するために、他者として敵を求めすぎてしまったのではないか。

明治維新は「アジアの帝国主義」を目指した。これは一個の矛盾逆説である、アジアが植民地を意味し、帝国主義が欧米を意味する当時においては。日本の自己矛盾はここに起源を持つように思われる。

日本は「名誉白人」として列強と競合しながら朝鮮を植民地化し中国を侵略した。それと同時に「アジアの盟主」として米英に反旗を翻し「大東亜戦争」を戦った。日本の敵は中国とアメリカだった。言い換えれば、「日本人」とは中国に（敵）対する自我であり、アメリカに（敵）対する自我だった。

戦後も自己矛盾は終わらない。冷戦時、「アジアの資本主義国」もまた一個の矛盾だった。日韓以外のアジア諸国の多くは左翼ナショナリズムの道へ進み、社会主義国になっていたからである。それゆえ日本はベトナム戦争のような形で矛盾を突きつけられてきたのだ。

そして冷戦が終わった。そこで不可思議なことが起きた。共産主義が自壊すると、資本主義もまた自壊し始めたのである。世界各国は軒並み資本主義国になったが、みな資本主義の毒に蝕まれている。むしろ各政府は自ら進んで資本主義の毒を全身にかぶっている。

そのエキスが新自由主義である。「カネ」という唯一絶対の価値観が人間の差異を塗り潰し、伝統をぶち壊し、社会を造り替えている。その意味で構造改革は文化大革命と大差あるまい。資本主義は社会主義に近づいているのかもしれない。

同じように対立軸や敵を失った日本は宙ぶらりんになり、自我を見失ったのではないか。そのせいか、日本はそのまま単なるアメリカの従属国に堕落していき、そしていま、積極的に中国や韓国と敵対しようとしているように見える。敵を求めることで必死に自我を見出そうとしているかのようだ。

歴史は振り子のように行ったり来たりしながらジグザグに進む。「日本人」という自我もまた、ふらふらと揺れ動きながら生きてきた。それは必然的にアジアに対する敵対という悲劇的な形をとった。しかし冷戦後、米中対立を除けば日本がアジアに敵対しなければならない条件は見当たらない。

いまこそ我々は明治維新以来の〈日本人〉という自我を見つめ直し、我々が背負わざるをえなかった矛盾逆説と向き合い、新たな道を、すなわちアジアへの真の道を追求すべきである。さもなければ、近代日本の悲劇は繰り返されることになるだろう。


（2016年5月）

〈ベトナム戦後40年〉の意義を問う

戦後70年である。だが、今年はもう一つの「戦後」があることを忘れてはならない。すなわち、〈ベトナム戦争後40年〉である。今日叫ばれているアメリカの衰退は、1975年4月30日のサイゴン陥落から始まった。すなわち、建国以来、不敗神話を築き上げてきたアメリカが全世界に醜態を晒して完全敗北を喫した日から始まったのだ。

そして戦後40年、いまや東アジアは、アメリカの衰退と中国の台頭に揺れ動く動乱期、もっと言えば、アジアの覇者がアメリカから中国に交代しつつある転換期にある。状況が変わった以上、我々も変わらなければならない。

それにもかかわらず日本人は相も変わらず「対米追従＝万事うまくいく」という旧来の暗黙の前提に則って、自動的・反射的に「中国が攻めてきた！ 大変だ！ アメリカに頼るしかない！」という結論しか出せずにいるが、これは思考停止以外の何物でもない。

だから私は問題提起せざるをえないのである、我々は新時代にあわせて思考を更新するために、一度、既存の思考の枠組み、思考回路を解体して再構築する必要があるのではないか、と。

確かにアメリカが衰退しているとは言っても、依然として世界最強の軍事大国であることに変わりはない。だが、相対的に国力を低下させている以上、もはや最盛期の政治力、経済力、軍事力は期すべくもない。したがって、「対米追従＝万事うまくいく」という暗黙の前提はこれ以上通じまい。アメリカベッタリズムという戦後日本の国是は破綻したのだ。

ならば日本は「対米追従」を脱却して「対米自立」を志向せざるをえまい。アメリカと喧嘩別れするわけではなく、アメリカと連携しながらも、独自のアジア戦略を構築して主体的にアジア情勢に臨まなければならない、ということだ。

その手がかりになるのが、他ならぬベトナム戦争なのである。日本にとってベトナム戦争とは何だったのか、我々はいまこそ、その意義を問い直すべきなのだ。

ベトナム戦争の顛末はこうだ。

大東亜戦争後、東南アジア初の共産主義国家であるベトナ民主共和国が建国されたが、旧宗主国フランスはこれを認めず、１９４６年にインドシナ戦争（対仏独立戦争）

が勃発し、1954年のジュネーブ協定の結果、ベトナムは南北に分断されてしまった。

祖国統一と社会主義革命の実現をめざすベトナム民主共和国（北ベトナム）は南ベトナム解放民族戦線（ベトコン）とともに、1960年代からアメリカの傀儡政権であるベトナム共和国（南ベトナム）に戦闘をしかけた。

南ベトナムを軍事支援していたアメリカは1965年に直接参戦に踏み切ったものの、1975年、南ベトナムの首都サイゴン陥落によって敗戦した。そして南北ベトナムはベトナム社会主義共和国に統一された……。

このようにベトナム戦争には二面性がある。一つは資本主義対社会主義の冷戦という側面で、もう一つは欧米帝国主義対ナショナリズムの独立戦争という側面だ。つまり、ベトナム戦争の本質は左翼ナショナリズムだったということである。

それゆえベトナム戦争は日本に自己矛盾を突きつける。ベトナム戦争は東南アジアの共産化を防ぐ戦争であると同時に、大東亜戦争の延長戦だったからだ。日本は西側陣営の一員としてアメリカを軍事支援すると同時に、アメリカ帝国主義のアジア侵略戦争に加担したのである。

そしてベトナムは勝った。これは我々にとってアメリカの衰退を招いた望ましくない結果だったのか、あるいはアジアにおけるアメリカ帝国主義を食い止め、アジアの自立という理想を実現した望ましい結果だったのか。日本はアジアの一員なのか、欧米の一員なのか。日本にとってベトナム戦争とは何だったのか……。

ベトナム戦争は日本に対して、その自己矛盾に向き合い、戦前の大東亜戦争から戦後の対米追従に至るまでの歴史認識を総括する機会を与えてくれているのである。この問題の議論こそ、戦後日本の思考の枠組みを解体して再構成する知的作業になるはずだ。そしてその先にこそ、いかに日本が新しいアジア情勢に臨むべきかという新時代の指針があるに違いない。

戦後70年とともに戦後40年の意義を問おうではないか。

（2015年5月）

〈民族主義者〉の目は輝いていた

台湾に古い友人がいる。中国国民党の蒋介石とともに台湾に移り住んだ男で、いまでは傘寿の老人だ。昔、彼が「日本人は中国で酷いことをやった」と吹っ掛けてきたから、私が「中国共産党はどうなんだ」と切り返すと、彼はこう吐き捨てた。「あいつらはチャンコロだ」。

私は驚いた。大陸から台湾に移ったとはいえ、彼の口からそんな差別語を聞くとは思わなかった。彼は「毛沢東と中国共産党が大陸から我々を追い出した時、何をしたかは忘れない。同じ漢民族だからこそ日本人より遥かに残酷だ」と続けた。その苦々しい声がいまでも耳朶に残っている。

この記憶は喉に刺さった小骨のように、民族あるいは民族主義とは何なのかと私を考え込ませる。

英語では民族主義と国家主義はナショナリズムの一語で表現されているが、一般的にナショナルアイデンティティは他国家、他民族への対抗意識から生まれるものだ。

その意味で民族や国家は対外的な概念とされている。しかし、その内側に目を向ければ矛盾に満ちている。

学問的な議論は色々あるのだろうが、それでは説明できない矛盾が民族にはある。民族は、学者たちが研究し、議論し、論文を書いて捉えられるようなものではあるまい。これまでの民族主義は型に嵌まりすぎていたのではないか。学者がどれだけ一生懸命に民族という鋳型を拵えようが、矛盾に満ちた人間がそんな鋳型にすっぽり嵌まることはない。冒頭の言葉は民族という鋳型のひび割れから出てきたものではないか。ならば我々は民族をどう考えたらいいのか。その上である民族主義者のことを思い出す。

私は１９７０年代初めに冷戦下のチェコスロバキアで開かれた青年交流事業に参加した。旧ソ連、中国、東南アジア、アフリカ諸国の青年たちが集まり議論した。旧ソ連と中国の青年は「俺らは革命を達成した偉大な国民だ」と傲慢そのものだった。実際マルクス主義の理論水準は高かったが、何の情熱も感じなかった。

一方、東南アジアやアフリカの青年の理論は高水準ではなかった。だが、彼らは論争ではなく独立戦争に生きていた。集会場ではなく戦場にいた。理論ではなく銃火器で武装していた。

その中にあるベトナムの女性がいた。彼女は一目見ただけでは小中学生の少女と見間違うような小柄な女性だった。だが、南ベトナム解放戦線の一員で、誰よりも熱心に民族独立を語った。私はその語勢に圧倒された。目の輝きが違うのだ。旧ソ連と中国の秀才も圧倒されていた。まるで相手にならない。それはそうだ。理屈が現実に敵うはずはないからだ。

それから数年後、サイゴン陥落の報に接した。大半の日本人はサイゴンが陥落するなど思っていなかった。しかし北ベトナム軍と南ベトナム解放戦線の兵士たちは雲霞の如くサイゴンに押し寄せた。彼らはきっと、あの目をしていたに違いない。

彼女が生きているのか死んでいるのか、いまとなっては知る術もない。何を話したかさえ定かでない。ただあの目の輝きだけが忘れられない。

私とてベトナム反戦運動、反基地運動に加わった経験はあった。だが、それは「米帝国主義はベトナム革命を潰すために侵略戦争を仕掛け、無辜の人民を殺戮している。北爆の米軍機は在日米軍基地から飛び立っている。我々は日越の独立と平和のために反基地闘争を展開し、米帝国主義を打倒しなければならぬ」という理屈から生まれた運動にすぎなかった。目の前で親類縁者が殺される現実から生まれたもの、戦わなければ殺される生活に強いられたものではなかった。だから私の目は、あの目ではなかった。

民族主義は現実的生活において——そしておそらくは独立闘争という現実的生活において最もよく——発見されるものだろう。民族主義は現実的生活に根ざして肉感的に捉えられなければならない。全生命を懸けて戦わざるをえない必然性が身体から出てこなければ、民族主義は血肉化されない。

その基盤から遊離した時、民族主義は脈打つ思想から単なる学術用語、空疎なイデオロギー、あるいは偏狭な排外主義に堕落するのだろう。学者や運動家、排外主義者は民族主義者ではない。〈民族主義者〉の目は輝いている。民族とは、その目だけが明らかに見ることができ、その目だけに映るものなのかもしれない。

（２０１６年10月）

〈反米の原点〉

二度目の米朝首脳会談が決裂した。これについて様々な意見が聞かれるが、唯一共通しているのは「アメリカは北朝鮮の非核化を徹底すべきだ」という思考だろう。だが、そもそもアメリカは何の謂れがあって北朝鮮の核に口出しをしているのか。

アメリカは以前から北朝鮮の核に文句をつけ、いよいよ自分に核が届きそうになってから拳骨を振り上げつつ握手の手を差し出しているが、そもそもアメリカは全世界を核の射程に収めているではないか。

なぜアメリカの核は認められ、北朝鮮の核は認められないのか。曰くNPT体制、曰くテロ支援国家、曰くならず者国家。理屈は色々とでっち上げられたが、全て方便にすぎない。結局は全てアメリカのご都合主義で、正義も正当性もへったくれもあったものではない。

これは北朝鮮の核に限らない。そもそもアメリカは何の謂れがあってアジアに出張ってきて、我が物顔で振る舞っているのか。アメリカがアジアを食い物にするためである。国際条約や同盟関係はそのための方便にすぎない。

だが、150年前から現在まで、不幸にしてアジアはアメリカ抜きに語りえない。そのことに対する物凄い反発が私の中にはある。

日米安保闘争からベトナム戦争を経て北朝鮮問題に至るまで、私の考えは一貫して民族自決である。日本の問題は日本人が決め、ベトナムの問題はベトナム人が決め、朝鮮半島の問題は朝鮮民族が決めればいい。すなわち、アジアのことはアジアで決めればいい。

それを許さぬアメリカの傲慢、横暴、無礼に対する強烈な嫌悪がある。「アジアの主人」を気取るアメリカに中国が挑むのも理解できるというものだ。我々もかつてはそれが気に入らなくてアメリカに挑んだではないか。

おそらく私は反米なのだろう。だが、反米思想などという御大層なものを持った覚えはない。私の反米はもっと単純な感覚的、肉体的なものだ。

京都伏見で生まれ育った私の実家は、戦後間もない時期に宿屋を経営していたが、夜になると米兵が来る。遅れて日本人の女が来る。後は言わなくても分かるだろう。この時、米兵は日本の女を人間扱いしなかった。まるでモノ扱いだった。いや、モノよりも酷い扱いだった。日本の女が金で買われて、米兵が好き勝手に乱暴する。

当時はガキだから理屈は分からなかったが、そういう風景を毎晩見せられた時に湧き上がってきた「こん畜生」というムカつきがずっと腹の底にある。この反感、反発、反骨が〈反米の原点〉である。

物心がついた時からアメリカは日本で好き勝手にやっていた。それに対して本土では反基地闘争、沖縄では「島ぐるみ闘争」が燃え上がっていた。アメリカは日本以外でも好き勝手にやっていた。

私が十九の年にアメリカは北ベトナムに北爆を開始し、本格的にベトナム戦争に突入した。反米左翼として沖縄返還運動、ベトナム反戦運動に身を投じたのは自然の流れだった。

私が三十になる年、すなわち１９７５年に南ベトナムはサイゴンを陥落させた。この日、私はサイゴン陥落の知らせを聞いてボロボロ泣いた。「あのアメリカによく勝ったな……」と思いながら、涙が溢れて仕方がなかった。ベトナムの民族主義、民族自決にただただ頭が下がる思いだった。

それに対して、たった一度の敗戦で去勢され、かつての敵国の属国に甘んじながら奴隷の繁栄を謳歌してきた我が国の有様を思うと、恥ずかしさに居たたまれなかった。この想いはいまでも変わらない。

確かに私はアメリカが気に入らない。しかし、それ以上に去勢されて飼い慣らされた犬の如き戦後日本が気に入らないのだ。その意味で、私は反米以上に反日なのかもしれない。

戦後日本は対米従属の下で経済的繁栄を手にしたが、我々は豊かな生活、楽な暮らしの代償として、アメリカに民族性を売り払ってきたのではないか。だが、「俺は腐っても日本人だ」という最後の一線を譲るなら、どれだけ豊かに楽に生きられようが、日本人として生きる意味はどこにあるのか。

しかし、もはや奴隷の繁栄は終わった。対米従属の下で豊かに楽に生きられる時代は過ぎ去った。いまこそ同胞よ、我らがキンタマを取り戻せ！

（２０１９年３月）

〈アメリカへの恨み〉を捨ててはならない

原爆投下75年である。毎年広島と長崎で開催している平和記念式典では「唯一の被爆国として核兵器なき世界に向けて努力する」という決まり文句が聞かれるが、はっきり言う。アメリカに対する恨みはどこへ行ったのか！　毎年8月に神妙な様子で「核なき世界」を訴える同胞の姿を見るにつけ、アメリカに対する復讐心を失った日本人に嫌悪感さえ抱く。

アメリカは未曽有の大量破壊兵器を無辜の市民に向け、彼らを一瞬のうちに虐殺した。我々日本人はとんでもない目に遭わされたのだ。少なくとも原爆投下において我々は虐殺された側である。なぜ怒らないか。なぜ恨まないか。それは民族としての根底的感情ではないのか。

戦後、日本はアメリカの核の傘の下に入った。現実政治の中において国家は何が何でも生き残らねばならぬ。そのために利用できるものは全て利用すべきである。「憎きアメリカの核の傘の下に入れるか」などという建前論は甘ったれた幼稚な態度として切り捨てねばならぬ。

確かにそういう考え方もあるだろう。いわゆるリアリズムだ。だが、これは完全な間違いである。憎きアメリカの核の傘の下に入らざるをえない屈辱感だけは一緒に切り捨ててはならないのだ。それだけは断固として噛み締め続けねばならぬ。

何より、この考え方には「アメリカの核がなければ日本が生き残れない」という暗黙の前提がある。だが、アメリカの核は最大の武器ではないのだ。

日本を守る最大の武器は、日本の国民が国民を思う力だ、国を思う力だ。これもまた民族としての根底的感情である。それがなければアメリカの核があろうが日本が核武装しようが、日本を守ることなどできやしない。逆にそれさえあれば、アメリカの核がなかろうが何がなかろうが、日本を守り抜くことはできる。

ベトナムを見ろ。世界で唯一アメリカを敗北させたベトナムには核などなかった。大日本帝国ほどの軍事力もなかった。だが、民が民を思い、国を思う力があった。ベトナムはそれでアメリカに勝って民族を統一し、独立国を樹立したのだ。

翻って大日本帝国はなぜ負けたか。当時の日本国民は確かにその力を持っていたはずだ。大日本帝国とベトナムは何が違ったのか。それは日米戦争は軍部が指導した「上からの戦争」だったが、ベトナム戦争は民衆が蜂起した「下からの戦争」だったからだろう。
ベトナムは本土決戦でゲリラ戦を展開して勝利した。それでは日本も本土決戦を戦うべきだったのか。私はそうは思わない。「上からの戦争」では本土決戦をやろうが勝てなかったはずだ。私は民衆が腹の底から怒って蜂起した戦争には行ってもいいが、軍部が「お前、戦争に行ってこい」と指導するような戦争は御免だ。

話を戻す。

戦後日本はアメリカの核に頼った。その結果、いまや日本人はアメリカに対する恨みを忘れ、アメリカの核に頼らざるをえない屈辱感を捨てた。同時に、というかそれゆえに国民が国家を思う力も完全に失った。アメリカに対する恨みや屈辱感という、民族としての根底的感情を手放したがゆえに、同時に、国民が国家を思う力も捨て去ったのである。

その結果、いま日本人は何をしているのか。アメリカに原爆を投下された日に、アメリカの核の傘の下にいながら、「カクナキセカイ」という綺麗事を復唱しているのだ。これほど情けない民族がいるか。これほど恥ずべき民族がいるか。私は悔しい。悔しくて堪らない。

もはや日本の民族的感性は摩滅している。いまさらアメリカを恨めと言っても時代遅れだろう。アメリカともう一戦やるわけにもいくまい。民族の感性とはナショナリズムに他ならないが、これだけ科学技術が進歩した中でナショナリズムが暴走して全面戦争が勃発すれば、75年前の原爆投下以上に破滅的な事態を招かざるをえない。その意味で、確かにナショナリズムは無責任に煽れるものではない。

しかし、だからと言ってナショナリズムなき民族はありえない。いまの日本人を見ろ。民族としての根底的感情をほぼ失った現代人は、精神を喪失した廃人の如く、何も考えずアメリカにすがるだけではないか。

我々は民族としてアメリカに対する反感だけは持っているべきだ。それがなければ日本人とは言えぬ。私はそう思っている。

（２０２０年2月）

〈反米反中〉で生きろ

米中の対立はすでにポイント・オブ・ノーリターンを超えた。もはや和解の余地はない。あとは正々堂々だろうが卑怯千万だろうが戦うだけだ。

では、日本は米中の狭間でどうするか。大前提として、私は米中どちらも嫌いである。人間の考えというのは感情が先に来て、理屈は後からでっち上げるものだから、以下の文章も私の〈反米反中〉感情に理屈をつけたものにすぎない。

私の生まれ育った環境に暴力は身近だった。暴力の場数を踏むうちに、やがて自分の中に単純明快なる暴力論を抱くようになった。強い側が弱い側に振るう暴力はダメだ、しかし弱い側が強い側に振るう暴力はいい、これである。

だから私は大国主義が嫌いである。戦前の日本がアジアを侵略したり、アメリカがベトナム戦争を仕掛けたり、中国が少数民族を弾圧したり力ずくで南・東シナ海をぶん取るのが気に入らない。

その中でベトナム民族がアメリカ帝国主義を打ち負かしたのは感動的な出来事だっ

た。だからベトナム民族は好きだが、かといってベトナム国家も好きなわけではない。国家権力は他国に暴力を振るうが、返す刀で国民にも暴力を振るうからだ。要するに国家主義、国家権力が気に食わないのである。

アメリカが歴史上最も暴力的な国家の一つであることは論を俟たない。しかし中国も負けず劣らず暴力的な国家である（もっとも暴力的でない国家は存在しないが）。歴史的な中国の暴力は色々あるだろうが、私が覚えているのは文化大革命だ。

当時、私は社会主義革命を成し遂げた中国で盛り上がる学生運動を自分の目で見るため、ある種の興奮を抱えながら現地を訪れたが、北京の街頭で赤い表紙の毛沢東語録を掲げながら演説する紅衛兵の姿を見た瞬間、「こいつらはダメだ」と一気に冷めた。紅衛兵の背後に暴力の匂いを嗅いだのだ。

文化大革命では数えきれない中国人が死んだ。紅衛兵は反革命分子をリンチで多数殺した。しかし私が直感した紅衛兵の暴力とは、そういう目に見える暴力ではなかった。むしろその背後にある目に見えない暴力だった。その正体は、一つの方向に人間を動員する思想の暴力だった。

千差万別の人間精神を一つの鋳型に合わせて鋳潰し、画一的な精神に鋳造し直そうとするほど凄まじい暴力があるか。この見えざる暴力を母として見える暴力が産まれるのだ。

実際、紅衛兵の毛沢東主義は自身の苦悶の末に獲得したものではなく、外部から注入されたものだった。結局、紅衛兵は毛沢東に自分たちの精神を鋳潰された連中が、毛沢東に対する個人崇拝へと大衆を強制連行する思想運動だった。

そのために毛沢東主義者は「政権は銃口から生まれる」という暴力主義を訴え、暴力を神格化した。だが、暴力の神格化は暴力に対する幼稚なロマン主義にすぎず、それこそが暴力のうちで最も恐ろしい暴力を生み出すのだ。そして実際にそうなった。

何より運動とは権力打倒のために国民が起こすべきものであって、権力者の権勢拡大のために国民を巻き込むものではない。毛沢東主義はとにかく私の性に合わなかった。

紅衛兵は暴力で対立を解決する。アメリカもそうだ。しかし自分もそうだった。それに気づいた時、自分自身が学生運動の暴力を否定しなければ、アメリカや紅衛兵を批判することができなくなった。それ以来、私は集団的思想や組織的暴力と縁を切り、あくまでも個人的思想と私的暴力に徹してきた。

話が脱線した。

結局、米中の狭間で日本はどうするか。日本民族の独立自尊を追求するならば、〈反米反中〉の立場に立つしかない。アメリカか中国か選べと言われたら、どちらも選ばず、そのリスクを負うしかない。一部にはアジアの国々と連携して第三極を目指すというアジア主義的な発想もあるようだが、それは思想的には可能でも現実的には不可能だろう。

結局、我々は戦後75年間で胡麻擦り上手、世渡り上手の民族に落ちぶれ、惰性的に対米追従を続けるしかないのではないか。今後も民族の自尊心を持ちえない時代は続いていく。

忸怩たる思いは募るばかりだが、私にはもう〈反米反中〉に生きる時間と気力が残っていない。しかし若い日本人よ、お前らはガンガンやれ。日本人に生まれたならば仕方がない。〈反米反中〉に生きろ。それが我々の宿命だ。

（2020年8月）

第七章 東アジア論

2016.	01	北朝鮮による核実験
	09	北朝鮮による核実験
2017.	01	トランプ政権発足
	05	文在寅政権発足
	08	Jアラート初発令
	09	北朝鮮による核実験
		北朝鮮の脅威を理由に衆議院解散
2018.	06	米朝首脳会談
2019.	02	米朝首脳会談
	06	南北軍事境界線で米朝首脳対面

北朝鮮危機という名の〈茶番〉

北朝鮮をめぐる大騒ぎにうんざりしている。近頃、我が国ではミサイル攻撃に対する警報として「Ｊアラート」なるものが導入されたが、今年は新聞もテレビも「すわ戦争か」と北朝鮮危機を煽る怒鳴り声やそれに怯える悲鳴ばかりで、いい加減に耳が痛くなってきた。うるさくて仕方がない。

そもそも北朝鮮有事、すなわち第二次朝鮮戦争は九分九厘ありえない。単純な話である。割に合わないからだ。

巷では「アメリカは北朝鮮が米本土に対する核攻撃能力を持つことを許さない。そのためには軍事行動すら辞さないはずだ」という説が囁かれている。だが、アメリカが北朝鮮を先制攻撃することはないだろう。その場合、アメリカは中ロと決定的に敵対する。実際にミサイルが飛んできて火の海になれば、日韓との同盟も揺らぐだろう。

何よりアメリカは陸軍が出せない。アメリカが軍事的に北朝鮮を滅ぼして核を廃棄させるためには、最終的に米陸軍が北朝鮮の領土を占領する必要がある。そうでなければ、第一次朝鮮戦争の時と同じように再び38度線で休戦協定を結ばざるをえなくなるだろう。

しかし、陸軍の中東派兵を認めない米世論が数十万の北朝鮮派兵を認めるわけがない。陸軍が出せない以上、北朝鮮を空爆などで痛めつけることはできても、滅ぼすことはできない。

一方、北朝鮮が先制攻撃に出ることもない。自殺行為だからだ。北朝鮮が日韓を攻撃した場合、アメリカから反撃を受けることになる。北朝鮮は自国を守るために核を開発しているのであって、核を守るために自国を滅ぼす本末転倒は犯さない。

それでは、北朝鮮の核はどうなるか。好むと好まざるとにかかわらず、北朝鮮はすでに核保有国であり、核を放棄させる手段はない。そうである以上、北朝鮮の核は追認するしかない。

すでに米国内では、このような動きが出始めている。たとえば米シンクタンク「戦略国際問題研究所」（CSIS）所長のラルフ・コッサは朝日新聞（11月9日付）で、「北朝鮮が核兵器でグアムやロサンゼルスを攻撃できたとしても、米国がひるむことはない。米国を破滅に追い込むことができたソ連と対立していた時ですら、欧州や日本から手を引くことはなかった。北朝鮮の核兵器は『ゲームチェンジャー（大きな転換をもたらす出来事)』ではない」と述べている。

このまま北朝鮮情勢は膠着状態を続けるだろう。もちろん何らかの理由——たとえば米韓による金正恩暗殺、あるいは北朝鮮内部のテロやクーデターなどでその均衡が破られる可能性はあるが、現時点では考えにくい。

それでは、なぜ日本は「すわ戦争か」と北朝鮮危機に大騒ぎしているのか。そもそも現在の北朝鮮危機は、トランプが大統領に就任してから一気にクローズアップされたものだ。確かに北朝鮮の脅威は危険視すべきではあるが、問題は、過剰に危険視されていることであり、それを最大限に利用している連中がいることである。

実際、安倍は「狼が来るぞ! 狼が来るぞ!」と北朝鮮の脅威を煽りながら身勝手な解散に踏み切り、麻生は「北朝鮮のおかげで選挙に勝った」と公言して憚らない。初来日したトランプはここぞとばかりに武器を押し売り、安倍は二つ返事でオーケーした。

結局、いま日本で叫ばれている北朝鮮危機とは、「狼少年」と「死の商人」が誇張した〈茶番〉にすぎないのではないか。

トランプにとって金正恩は政権支持率の低下に歯止めをかけ、ロシアゲート疑惑から国民の目を反らし、日本に武器を押し売る口実を作ってくれる有難い味方だろう。

安倍もそうだ。金正恩のおかげでこそ、安倍はモリカケ問題を隠して支持率を上げ、衆議院を解散して選挙に大勝し、憲法改正の口実を得ることができたのである。

だが、このような永田町とワシントンの〈茶番〉はいまに始まったことではない。何となれば戦後日本そのものが、独立国の振りをしながらアメリカの属国である事実を取り繕ってきた〈茶番〉なのである。

だが、日本人は70年経ったいまでもこの〈茶番〉に興じている。アメリカから独立しない限り、この〈茶番〉は終わらないのだろう。

（２０１７年11月）

〈正義の戦争〉は存在しない

北朝鮮情勢が急展開した。4月に南北首脳会談、5月に米朝首脳会談が行われると伝えられているように、一気に対話路線へ進んでいる。北朝鮮への圧力しか訴えなかった安倍政権は国際政治のダイナミズムに右往左往しているようだ。

だが、政治の世界は「一寸先は闇」だ。あっという間に対話が始まったように、瞬く間に戦争が始まることもあるだろう。北朝鮮情勢の先行きは見通せないが、すでに明らかになったのは日本の蒙昧である。

先日も産経新聞に「悪の跳梁は収まらない」などという見出しが躍っていたが、日本では「北朝鮮＝悪」という見方が定着している。北朝鮮の形容詞として使われる「テロ支援国家」「ならず者国家」「独裁国家」は「悪」という価値判断を含んでいる。

だが、これは「世界の警察官」を自称するアメリカのプロパガンダだ。アメリカは自国の国益のために行動しているのであって、その野心を正当化する口実として「民主主義」だの「法の支配」だの偉そうなことを宣っているだけである。

安倍は自信満々に「日本はアメリカと100%共にある」と宣言しながら、「セイサイ」「アツリョク」とオウム返ししてきたが、要は「東アジアに悪者がいます。どうかやっつけてください」と言っているにすぎない。虎の威を借りる狐の言葉である。そもそもアメリカの独善を基準にして「悪い国は滅ぼしていい」という論理を受け入れるならば、アメリカが大日本帝国を滅ぼしたことも受け入れなければならない。そして敗戦後の日本が世界の警察官が戦争を起こす度に、警察犬よろしく協力してきた属国であることも受け入れなければならない。

この矛盾に無頓着な連中は「北朝鮮は核を捨てろ！　さもないとご主人様が攻撃するぞ！」などとワンワン吠えまくっているが、恥知らずにもほどがある。こういう連中は本来ならば「日本は戦争に敗けたおかげで属国の安寧を貪っている。こっちの方がいいぞ」とでも言うべきではないか。それができないならば、アメリカに対して戦争は止めろと言うべきだ。

大体、安倍政権は「北朝鮮の核は認められない」などと寝言を言っているが、認めようが認めまいが、北朝鮮は核を持っているのだ。ピストルを持っているヤクザに「銃刀法違反だ」と言ったところで、誰が捨てるものか。先日、金正恩は韓国側に核放棄の意向を伝えたというが、おそらく捨てはしないだろう。

他方、韓国はアメリカの圧力に屈せず、民族の論理で対話路線を突き進み、その結果として米朝を仲介する役割を担うに至った。この一事のみでも日本より韓国の方が国家としてまともであることは間違いない。保守派は韓国を馬鹿にする暇があったら、アメリカとそれに追従する安倍を批判すべきだ。

レーニンは「対立物の統一」と言ったが、そもそもアメリカと北朝鮮は対立することによってお互いに利益を享受している。アメリカは北朝鮮のおかげで日韓に兵器を売りつけることができるし、北朝鮮はアメリカの脅威のおかげで国民を統合できる。裏返せば、日米が北朝鮮と融和すれば、金王朝体制は遠からず崩壊するということである。

勘違いしないでほしいが、私とて現在の北朝鮮は滅ぶべきだと思っている。詳しくは言わないが、個人的な恨みもある。しかし、アメリカが北朝鮮を滅ぼすことは許さない。それは民族自決に反するからだ。筋が通らない。北朝鮮を滅ぼすかどうかは、最終的には北朝鮮の国民が決めるべきことだ。

話を戻す。

「勧善懲悪」はおとぎ話であり、現実の世界では通用しない。強いて悪があるとするならば、戦争そのものが悪である。〈正義の戦争〉あるいは〈戦争の正義性〉は存在しない。

「侵略に対する自衛戦争は正義ではないか」「宮崎は侵略されたら銃で戦うと言っていたではないか」って？　何、簡単なことだ。私はたとえ自衛戦争であろうが、それが悪だと認識しながら悪を行うまでだ。悪を正義に装い、罪悪感から逃げるような真似はしないだけだ。

とまあ縷々述べてきたが、畢竟、私が言いたいのはこういうことだ。日本人よ、アメリカの眼鏡で北朝鮮を見るな。自分自身の目玉で北朝鮮を直視せよ。そして保守派よ、反米たれ。以上！

（2018年3月）

〈屈辱の時代〉がやってくる

中朝首脳会談、南北首脳会談、中朝首脳会談を経て、6月12日に米朝首脳会談がシンガポールで行われる。一連の動きを見ていて、もはや嗤うしかない。日本の無力に、である。

日本にとって朝鮮半島情勢が死活問題であることは言うまでもない。日本は朝鮮半島の動向から大きな影響力を受けるし、在日韓国人、在日朝鮮人を多く抱え込んでもいる。その意味で朝鮮半島が日本の内政外交に与える影響は甚大だ。それゆえ、過去の歴史はこういう教訓を残している。「日本列島の運命は朝鮮半島の運命に左右される」と。

そしていま、再び朝鮮半島が激動している。ポスト朝鮮戦争の体制がどうなるのか、北朝鮮の核がどうなるのか、北朝鮮と韓国の運命をめぐる問題は、そのまま日本の運命に直結する。しかし南北首脳会談の結果、これらの問題は米南北あるいは米中南北の3、4者協議で決められることになった。日本は自分の運命を左右する問題に一切手出しできず、「部外者」の立場に置かれているということだ。

米朝首脳会談の後に日朝首脳会談が開催される可能性が浮上しているが、それは米朝南北の決定を履行するための事務的な会談にしかならないだろう。

すでに日朝国交正常化やその際に日本が北朝鮮に支払う補償金の金額が取りざたされているが、日本が北朝鮮に補償金をいくら払うか、経済援助をいくら払うかは、日本が決めることではない。確かにカネは日本のカードだが、日本そのものがアメリカのカードだからだ。つまり、日本がアメリカのカードである以上、日本のカネもアメリカのカードである、ということだ。日本はカネだけ出して口出しはできない状況に追い込まれる。

しかし、たとえ日朝国交正常化を実現したとしても、日朝友好が訪れることはない。安倍政権は北朝鮮に対する敵愾心を煽りながら、対話路線への転換が明らかになっても圧力を唱え続けてきた。北朝鮮は嘘つきであり、信頼すべき相手ではないと非難し続けてきた。

そんな日本がいよいよ蚊帳の外に置かれてハシゴを外されたと気づいて、内心慌てながら「みんながお前と仲良くしてるから、俺も仲良くしてやる。ここらで勘弁してやるよ。カネが欲しいんだろ?」と言ったところで、北朝鮮から「何を勘違いしているのか。カネだけはもらってやるが、お前と仲良くする気など毛頭ない。何様のつもりだ」と跳ねつけられるに決まっている。それまで散々罵っておきながら、自分の都合が悪くなった途端、渋々財布からカネを出して手を差し伸べるような人間を誰が信用するものか。

人間は感情で動く生き物だ。理屈やイデオロギーは関係ない。その意味で日朝がお互いに感情的なしこりを持っている以上、日朝友好はありえない。同じように日韓友好もありえない。むしろこれまで敵視し合っていた南北が和解すれば、南北朝鮮の敵愾心は全て日本に向けられることになる。今後、日朝・日韓関係は平和ムードに反してむしろ悪化するだろう。

なぜこんなことになったのか。それは日本が過去の歴史を引き受けず、虎の威を借る狐よろしくアメリカの属国に成り下がったからだ。今回の対朝外交の破綻は、対米従属外交すなわち属国外交の限界を表している。

その意味で日朝関係を変えるためには、日米関係を変える必要がある。そして日米関係を変えるためには、政権与党である自民党を変える必要がある。しかし自民党が変わることはない。なぜなら自民党は、歴史的にやむをえない部分もあるが、本質的に属国として生き抜く智慧に長けた政党だからだ。

はっきり言って、日本の状況は絶望的である。希望は一切ない。いま必要なのは、己の無力に絶望し抜くことだ。日本はアメリカの婢、アジアの孤児になるしかない。

中国、朝鮮は19世紀から20世紀にかけて史上最大の屈辱を甘受してきた。今度は日本が史上最大の屈辱を受ける番である。だが、それは自業自得だ。その屈辱を抱きしめて辛酸を舐めつくせば、希望の光が一条指すこともあるだろうが、それは数十年後の話だろう。

さあ、〈屈辱の時代〉がやってくる。日本人は長い長い臥薪嘗胆の時代を覚悟しなければならぬ。

（2018年5月）

〈亡国の喪失感〉

6月12日、米朝首脳会談が行われた。これは米朝の手打ちである。あとに残った朝鮮戦争の終結や非核化は手続きの問題にすぎない。多少ゴタつくだろうが、米朝が手打ち破りをすることはあるまい。

次の焦点は台湾である。北東アジアの火薬庫は、朝鮮半島から台湾海峡に移った。すでに中国は朝鮮半島の安定化を見越して、台湾に対する圧力を強化している。今後考えるべきは、北朝鮮問題ではなく台湾問題であり、日朝関係ではなく日台関係である。

台湾に古い友人がいた。仮に「Qさん」と呼ぶ。Qさんは蔣介石とともに台湾に移り住んだ男で、数年前に亡くなった。日本語が達者で、虚心坦懐に何でも話し合える仲だった。向こうが「日本は中国を攻めてきた」と吹っ掛けてくれば、こちらも「元寇を忘れたか」とやり返す。

そんな気心が知れたやり取りの中で、一度だけギクッとしたことがある。「日本は中国に酷いことをした」と言われ、いつもの調子で「中国共産党はどうなんだ」と返したら、Qさんは真顔で「あいつらはチャンコロだ」と吐き捨てた。。

私は耳を疑った。彼の口からそんな侮蔑語を聞くとは思わなかった。Qさんは苦り切った表情で「毛沢東と中国共産党が大陸から我々を追い出した時、何をしたかは忘れない。日本人より遥かに残酷だ」と言った。

だが、中国共産党に対するQさんの憎悪は、イデオロギー的な反発ではなかった。自分が大陸から追い出された恨みですらなかった。おそらく、それは夷狄に対する侮蔑だった。

ここで台湾のアイデンティティについて一言する。戦後の台湾には、大きく分けて二つの区別がある。蒋介石率いる国民党とともに台湾に移り住んだ外省人とそれ以前から台湾に住んでいた本省人だ。現在では、台湾のアイデンティティは台湾人と中国人の間で揺れ動いている。

だが、Qさんは外省人でも台湾人でも中国人でもなかった。漢民族だった。Qさんは「我こそは正統な中華文明を継承した漢民族である」と自負していたのである。

中国共産党は文化大革命に象徴されるように、4000年の歴史を誇る中華文明を粉々に破壊した。その瓦礫の山と化した大陸に住む人々は、Qさんにとって、もはや漢民族ではなかった。それは夷狄に似たチャンコロだった。

Qさんにとって漢民族とは台湾に移り住んだ蒋介石一党のことであり、「我々が最後の漢民族である」という自負心とともに、「我々がいなくなれば漢民族は滅びる」という危機感を持っていた。だからこそ、Qさんは「大陸反攻」を悲願として抱き続けた。Qさんにとって「光復」とは、日本軍を追い払うことではなく、中国共産党軍を追い払うことだったのだろう。

無論、「大陸反攻」に実現の望みがないことなど知っていた。知りすぎるほど知っていた。それでも「俺の目の黒いうちは、チャンコロに台湾占領などさせてなるものか」と気炎を吐いていた。

ただ、そこには悔しさがにじみ出ていた。Qさんは「いま中華民国（台湾）は米中の狭間で生かされているにすぎない。なぜ誇りある漢民族がアメリカを頼みの綱としなければならないのか。だが、仕方がない。我々漢民族に独立を保持する力がないのだ」と苦々しく口にしていた。

「それは日本も同じことだ」「いや、そうじゃない」。Qさんは言下に否定した。「日本はアメリカに占領されたとはいえ、祖国に国家がある。我々漢民族は父祖の地を追われたのだ。祖国の山河、故郷に国家がないのだ」。その時、Qさんは怒ってはいなかった。悲しんでもいなかった。ただ、寂しそうだった。〈亡国の喪失感〉——。Qさんにとって中華民国は漢民族の亡命政府だったのだろうと、いま思う。

だが、私には、他人事のようにQさんを眺める資格はない。我々日本人は、中国と台湾の運命に深く関わりすぎているからだ。

今後、中台関係は緊張の一途を辿る。日本は再び「蚊帳の外」に置かれるかもしれないが、それでも国益や地政学的戦略、イデオロギーに沿って台湾問題に介入するだろう。しかし、日本は歴史的責任において台湾に関わるべきだ。

いや、そんなことはどうでもいい。ただ私はQさんに恥じない日台関係を実現したいだけだ。今後も折に触れて台湾問題について考えていきたい。

（２０１８年６月）

第八章 中朝論

1947	冷戦開始
1948	朝鮮民主主義人民共和国成立
1949	中華人民共和国成立
1950	朝鮮戦争開始
1953	朝鮮戦争休戦
1976	毛沢東死去
1978	中国、改革開放
1979	米中国交正常化
1989	冷戦終結
1991	韓国・北朝鮮、国連加盟
1992	中韓国交正常化
1993	北朝鮮、NPT 体制脱退
2006	北朝鮮、初の核実験

〈中華人民共和国試論〉

かつて中国は「眠れる獅子」と呼ばれたが、日清戦争後は「死せる豚」と愚弄された。それから120年、いまや中国は「目覚める龍」として復活し、再びアジアに覇を唱えんと牙を剥いている。

いまや東アジアはアメリカの衰退と中国の台頭に動揺する動乱期に突入している。この状況を背景に日本では中国脅威論が勢いづいているが、「中国はけしからん！」というありきたりな批判に終始している。だが、それだけで状況に対応することはできない。

我々は中国批判の原点を問い直し、中国がなぜそのような行動をとるのか、その内在的論理にまで踏み込んだクリティカルな批判を中国の喉元に突きつけなければならないのだ。本稿では私の〈中華人民共和国試論〉を披瀝して問題提起としたい。

中国（中華人民共和国）は特異な共産主義国家である。その特異性は、左翼ナショナリズム、毛沢東主義、社会主義市場経済にある。建国者の毛沢東は共産主義者であると同時に民族主義者だった。まずその二面性を理解しなければならない。

近代中国はアヘン戦争、日清戦争、第一次世界大戦を経て、列強の草刈り場と化していた。その中国は農業国であり、人民の大多数はプロレタリアートではなく小作農を中心とする農民だった。それゆえ毛沢東率いる中国共産党は、ナショナリズムを強調するとともに、農民を主体とする階級闘争や土地革命を主導して農村を中心に支配権を広げていった結果、国共内戦を制して中華人民共和国を建国するに至った。

以後、中国は特異な共産主義国となる。

まず中国はソ連ほど極端なプロレタリアートという思想を持たず、ソ連とは異なるアジア型社会主義を築いた。

また中国は「下部構造（経済）が上部構造（政治、社会、文化）を規定する」というマルクス主義の基本テーゼに基づく共産主義国家として出発したが、大躍進政策、文化大革命の失敗を経て、改革開放、社会主義市場経済に移行した。

つまり中国は、上部構造は共産主義のまま、下部構造は資本主義化したのだ。ソ連の自壊とともに東欧のソ連圏もドミノ倒しに崩壊したが、中国が倒れなかった理由は、このような特異性に求められよう。

冷戦後、中国は上部構造と下部構造の捻じれを背景にして猛烈な経済成長を遂げた。

そしていま、巨大な国力を背景にして経済的・軍事的に膨張主義的傾向を強めている。

中国の膨張主義もまた、左翼ナショナリズムという二つの側面がある。一つは中華帝国主義だ。中国は地政学的にアジアの大国として君臨しており、歴史的にアジアに覇を唱えてきた。もう一つは中国型共産主義、特に毛沢東主義だ。

毛沢東主義には「三つの世界論」という理論がある。これは、超大国は第一世界（米ソ）、その同盟国は第二世界（西欧、日本、東欧など）、いずれにも属さず中立を守る非同盟諸国は第三世界（中国、インド、東南アジア、中南米、アフリカなど）という世界観に基づいて、中国は第二世界、第三世界と連携して第一世界に対抗すべし、という主張だ。

現在、中国は莫大な資金力を背景に東南アジア、中南米、アフリカに経済的に進出しているが、これは「三つの世界論」の延長と見ることができよう。だが、アジアインフラ投資銀行（ＡＩＩＢ）に象徴的なように、すでにヨーロッパまで中国経済の影響下にある。これはＡＩＩＢ参加を見送っている日米とて同じことだ。

一方、中国が軍事的に進出している南シナ海で緊張が高まっている。アメリカは昨年、フィリピンと軍事協定を締結して中国を牽制しているが、最近はより積極的に介入する構えを見せている。

つまり、世界各国は中国の下部構造と経済的に一体化している一方、中国の上部構造とは政治的対立を繰り広げているということだ。現在の世界は、上部構造と下部構造の捻じれという中国の特異性に深く影響されている。

ところで、戦争は権力交代につきものだ。ならば東アジアにおける米中戦争は起きるのか。つまり対立する上部構造に従って米中戦争は起こるのか、あるいは同盟的な存在の下部構造に従って米中戦争は起らないのか。いずれにせよ、日本は感情論に流されず、冷徹に中国の本質を見極めなければならない。

（2015年6月）

〈思考を放棄した人間〉の不気味さ

さて、何を書こうかと思案している。数日前から微熱が続いており、体調が優れない。頭がボーっとしている。寒いから暖房をつけているが、暖房機の温風と煙草の煙が混ざり合って部屋の中の空気が悪い。余計に頭が働かなくなる。窓を空けて換気をしたいところだが、立ち上がって窓を開けるのも億劫だ。そもそも、それでは何のために暖房をつけているのか分からない。

テレビでは香港問題を報道している。天安門事件を思い出す。毛沢東は「政権は銃口から生まれる」と言ったが、銃口から生まれた革命政権が自分に向けられる銃口を絶対に許さないとは自己矛盾もいいところだ。革命政権は自己に対する革命を許さない。

中国には何度か行ったことがあるが、その度に「なるほど、中国はでかい国だ」と感心する場面が幾度となくあった。それは単に国土が広いとか人口が多いとかいう意味ではない。何というか、存在がでかいのだ。歴史上、中国はほぼ常に超大国だったが、自ずと納得したものだ。

歴史上､東アジアは中国を中心に動いてきた｡東アジア史はそのまま中国史だと言っても過言ではあるまい。日本は約２０００年前に国家を形成したが、中国はほぼ常に日本よりも強かった。アヘン戦争以来１５０年ほどは日本の方が中国よりも強かったが、それは２０００年の歴史の一部を占める例外だ。

こんなことを言うと、「宮崎は中国を過大評価している」とか「中国など大したことはない」という怒声が聞こえてきそうだが、とかく日本人の中国に対する見方は偏っている。戦前は「チャンコロ」「暴支膺懲」などと中国を甘く見て痛い目に遭い、戦後は一部の左翼が毛沢東を崇拝して中共の本質を見誤り、現在では中国脅威論が大手を振るった結果、一部の国民はいまにも中国が攻めてくるのではないかと戦々恐々としている。事程左様に我々日本人は冷静かつ客観的に中国の等身大の姿を見極めることが難しい。

私がそのことを痛烈に感じたのは、学生運動の中においてである。当時、学生運動の合言葉は「反帝反スタ」だった。ところが、一部の左翼学生は毛沢東に傾倒し、毛沢東主義者になっていた。

毛沢東主義の理論そのものはほとんど忘れたが、毛沢東主義者たちの理屈は覚えている。一言でいえば、暴力主義だ。なんのかんのと理屈をつけるが、要するに「暴力で解決すればいい」ということしか言っていない。

こいつらに議論を吹っ掛けても、やれ暴力革命だの武装闘争だの、馬鹿の一つ覚えでマニュアル通りの公式しか返ってこないから、まるでロボットと話しているようなもので、てんで議論にならない。最終的には面倒くさくなって、いつも「それじゃあ、お前の言う通り暴力で解決しよう」と相手をボコボコにして終わっていた。

しかし、一度だけ「なるほど、要するに論争相手をぶん殴ればいいんだから、これは使いやすいな」と感心したが、すぐに「これじゃ俺が毛沢東主義者じゃねえか」と思い当たってゾッとした。

当時、毛沢東派の学生たちはバカにされていたが、それでも毛沢東主義にかぶれる連中は少なくなかった。いまから思えば絵空事かもしれないが、学生たちは真面目に革命を起こそうと考えていた。社会主義革命のイメージを描こうとすれば、どうしたってソ連や中国の姿が思い浮かぶ。それで実際に中国へ行って、すっかり中共シンパになって帰ってくる奴は結構いた。実際、中共からカネも流れていたのだろう、毛沢東派の連中はカネだけでなく独自の学生寮も持っていた。

だが、毛沢東派はやはりどこか気味が悪かった。論争している最中に「毛沢東万歳!」

などと叫んだりするから、こっちはバカにする前に開いた口が塞がらない。「何なんだろう、こいつらは……」と一瞬立ち止まらざるをえない。いま思えば、あれが特定のイデオロギーを妄信し、あるいは個人崇拝に没頭し、あるいは暴力に依存して〈思考を放棄した人間〉の姿だったのかもしれない。自分の頭で考えないせいか、まるで生気がないのだ。

だが、私は自分の頭でものを考えてきた。いまも熱に浮かされた頭でものを書いているのだ。まあ今回はあまりものを考えられなかったかもしれないが、とにかく、日本人が冷静かつ客観的に中国の等身大の姿を見極めない限り、我が国の将来は危ういということである。

（２０１９年12月）

〈朝鮮民主主義人民共和国試論〉

北朝鮮の動きが目まぐるしい。新年早々に水爆実験を行い、その後はミサイルを乱射している。これまでの発射回数は短距離ミサイル4回（14発）、中距離弾道ミサイル4回（6発）、人工衛星と称する大陸間弾道ミサイル1回、潜水艦発射ミサイル1回、合計10回（22発）に上っている。

これに対して日本は「暴走」「暴挙」「蛮行」「正気の沙汰ではない」などと紋切り型の非難をくわえ、独自の制裁強化に乗りだしている。だが、北朝鮮は馬耳東風とばかりに意に介さず、相変わらず核開発を続けミサイルを発射している。数十年前から変わらぬ光景である。国際社会の非難や経済制裁は、北朝鮮の国家意思を挫くことに失敗し続けてきたのだ。そうである以上、「ならず者国家を懲らしめろ」という既存の思考を見直すべきではないか。今回は〈朝鮮人民共和国試論〉を披歴したい。

北朝鮮を理解するには、朝鮮半島と中国大陸の関係を考える必要がある。歴史的に朝鮮民族は中華帝国に脅かされ、大陸に対する危機感を持ちつづけてきた。近代以降も李氏朝鮮（大韓帝国）、大日本帝国、韓国、北朝鮮など、朝鮮半島を支配する国家は常に大陸、すなわち中国とロシア帝国（ソ連）を警戒してきた。

確かに倭寇や朝鮮出兵、日韓併合など、日本列島が朝鮮半島を窺うこともあるが、それは瞬間的な問題だ。半島にとって大陸は恒常的危機であるが、列島は例外的危機にすぎない。

戦後、北朝鮮は中ソの支援を受けながら、大陸国家と地続きの半島国家として誕生した。無論、中ソは北朝鮮に掣肘を加える。特に中国は歴史的地政学的関係から、北朝鮮を従属国家として、また在韓米軍との緩衝国家として利用しようとする。独立を脅かすのは敵国とは限らない、宗主国もまた独立を脅かすのだ。

独立を脅かされた北朝鮮は、「主体思想」を指導理念に掲げた。これはマルクス・レーニン主義とは一線を画すイデオロギーで、一国の独立には思想・政治・経済・国防における主体性が必要だと説いている。

だが、主体性の追求は主体性の喪失の裏返しである。主体性を失っているからこそ、それを取り戻そうとするのだ。主体思想の内実は中国に対する主体性、つまり「対中自立」「反中ナショナリズム」だと評価できよう。

当然、北朝鮮の指導層は一貫して国家の存続とそれに基づく権力基盤の維持を図っている。その上で対処すべき脅威は三つ、中国と資本主義、国民の不満である。中国の影響力が大きくなりすぎれば、北朝鮮は事実上の独立を失い、傀儡国家に堕落する。また資本主義は独裁政権から経済統制を奪い、その権力基盤を脆弱化する。

確かに中国やベトナムは資本主義を導入し、上部構造（政治体制）と下部構造（経済体制）が矛盾する国家に変質した。しかしこれは中国が台湾に対して優位に立ち、ベトナムが南北統一を成し遂げていたからできたことだろう。

韓国と圧倒的な経済格差のある北朝鮮が資本主義を導入した場合、上部構造と下部構造のねじれに耐えられず、そのまま独裁が崩壊しかねない。とはいえ、このままでは国民の不満が抑えられず、内部崩壊するリスクがある。

それゆえ北朝鮮は、中国や資本主義を拒否しつつ内部崩壊を防がねばならず、そのために国際社会で適度な緊張と適度な妥協を演出しているのではないか。トロツキーの言葉を借りれば「戦争でもなく平和でもない」状態が望ましいということだ。

水爆実験、ミサイル乱射、36年ぶりの労働党大会、種々の記念日制定などの一連の行動は、この文脈から理解できよう。

対外的には軍事力を誇示することで外交を有利に進めたいという思惑がある。無論、そこには「我々はソウルや東京を火の海にできるが、北京も例外ではない」という牽制も含まれている。また国内的には国民を精神的に動員すると同時に不満分子を摘発し、結束を固める狙いがある。いわばイベント主義だ。

北朝鮮は自らも含めて誰も戦争を望んでいないと見透かしている。その上で国際社会からの非難や制裁を百も承知で国策を進めている。そして国際社会が制裁を強めれば強めるほど北朝鮮は孤立するが、孤立すればするほど固く結束する。

北朝鮮の行動は「正気の沙汰」である。少なくとも私にはそう見える。北朝鮮に対する複眼的な視点を持たない限り、今後も日朝関係は並行線を辿るのみであろう。

（２０１６年７月）

〈中朝の血盟〉という幻想

世間は朝から晩まで新型コロナで騒がしいが、その中で私が注目しているのが北朝鮮の動向である。北朝鮮は1月下旬、早々に中朝国境を封鎖。中国からの物資が途絶えたことで大量の餓死者が出るのではないかと懸念されたが、北朝鮮はそれほど事態を重く見たのだろう。古来、疫病が体制崩壊のきっかけになった歴史は多い。

そのまま沈黙を続けた北朝鮮は3月2日に突如として短距離弾道ミサイルを発射、新型コロナの対応に追われる国際社会の耳目を驚かせた。ミサイル発射の狙いについては「米朝交渉の再開を望んだのではないか」「いや、中国と韓国に対するSOSではないか」などと憶測が飛び交っているが、真相はよく分からない。

いずれにせよ、北朝鮮は米朝非核化交渉や新型コロナ危機により、歴史的な転換点に来ている。今後の行方は不確かだが、今後の行方を左右するのが中国であることは確かだろう。それゆえ、日本は中朝関係の実態を把握しておく必要がある。そのためにまずぶち壊すべきは、中国と北朝鮮は一体であるという認識だ。

もともと中朝関係は「血盟」と言われている。中朝両国の絆は朝鮮戦争でともに血を流した同盟であるということだ。中朝の同盟関係は毛沢東と金日成の個人的な信頼関係によっても裏づけられていた。毛沢東は金日成に「中国の東北地方を渡してもいい」とまで話していたという。

中朝関係は「血盟」であり、両国は一体であるという認識は未だに根強い。中国と北朝鮮は親分子分の関係で、拉致問題にしろ非核化にしろ、北朝鮮を動かすためには中国が鍵になるというのが国際社会の常識だ。

しかし、〈中朝の血盟〉はとっくの昔に崩壊しているのだ。見るべきは中朝の血盟ではなく、中朝の相克である。

そもそも朝鮮半島が南北に分断されたのは、第二次世界大戦の終結後に米ソが分割したからである。以来、日米韓と中ソ朝は38度線でにらみ合っているが、冷戦当時の政治的対立はそのまま西側の資本主義国VS.東側の社会主義国というイデオロギーの対立だった。

だが、冷戦終結後の現在、政治的対立は続いているが、イデオロギーの対立はすでに解消されている。それに伴い、中朝関係も変化の一途を辿り、「血盟」は断たれた。中国が北朝鮮を裏切ってきたからである。

第一の裏切りは米中国交正常化である。中国はあろうことか朝鮮戦争の仇であり、社会主義国にとって最大の敵であるアメリカと手を結んだのだ。北朝鮮は政治的にもイデオロギー的にも中国に置き去りにされた。

第二の裏切りは鄧小平による改革開放である。これにより、中国は事実上資本主義経済に移行した。当時、北朝鮮は「これでは中国経済を経由して資本主義の毒が入ってくるではないか」と警戒していた。

そして第三の裏切りが中韓国交正常化である。冷戦終結後の1991年、韓国と北朝鮮は同時に国連に加盟したが、この時、北朝鮮は中韓の接近を危惧していた。これに対して中国は韓国と政治的な関係は結ばないと約束したが、1992年には韓国と国交を樹立した。この事態をうけて、北朝鮮は1993年に突如としてNPT条約を脱退、核開発に着手したのだ。

北朝鮮は冷戦の遺児、東アジアの孤児として自国を守るために、独自の核を欲した。その照準は日米韓だけではなく、中国にも合わせられていることを忘れてはならない。この時、中朝の「血盟」は断たれたのである。米ソ冷戦が終わったことで、逆説的に中朝冷戦が始まったということだ。

それ以後の中朝関係には「血盟」の信頼も共産主義革命の理想もない。ただ地政学的な利害の一致があるにすぎない。

中国にとって北朝鮮は緩衝地帯である。仮に北朝鮮がなくなれば、中国は在韓米軍と直接対峙しなければならないが、それは避けたい。また「中国は北朝鮮に影響力を持っている」という神話が国際社会で通用する限り、中国のプレゼンスは増大する。これは都合がいい。北朝鮮はそのような中国の思惑を見透かした上で、適宜経済支援を引っ張り出しながら体制保全を図っているにすぎない。

だが、このような中朝の慣れ合いは米朝非核化交渉と新型コロナ危機によって終わりを迎えつつある。我が国は中朝の表層的な友好関係に惑わされず、両国の亀裂と摩擦を見極めた上で、中朝の相克につけ込むくらいの強かさを持つべきだろう。

（2020年3月）

第九章

社会主義論

1917　ロシア革命
1922　ソビエト社会主義共和国連邦成立
1945　第二次世界大戦終結
1947　冷戦開始
1948　朝鮮民主主義人民共和国成立
1949　中華人民共和国成立
1956　スターリン批判、中ソ対立
1978　中国、改革開放
1980　日米英で新自由主義台頭
1989　冷戦終結
1991　ソ連崩壊
2008　リーマンショック
2016　ブレグジット、トランプ現象
2018　北朝鮮建国 70 年
2019　中国建国 70 年

〈ソ連崩壊の遺産〉

今年はロシア革命１００年である。資本主義の超克を目指した共産主義は世界中に赤旗を打ち立てたが、一世紀経たずに崩壊した。

確かに共産主義は世界を幸福にしなかったが、だからと言って資本主義が世界を幸福にするわけでもない。共産主義の脅威から解放された資本主義は新自由主義に純化され、世界を貧困と格差に陥れている。

それに対抗するためにも、我々は改めて〈ソ連崩壊の遺産〉は何か考えるべきだろう。ここでは私が考える三つの教訓について述べたい。

第一の教訓――覇権国家が滅びる時、従属国はともに滅びるしかないが、独立国は生き残る。ソ連崩壊後、アジアを除いて社会主義国は全て崩壊した。社会主義国はソ連からの軍事的、経済的、教育的援助なしに自立しえなかったからだ。

たとえばソ連は戦前に国際レーニン学校や東方勤労者共産大学を設立して、ユーゴスラビアのチトー、東独のホーネッカー、中国の劉少奇、鄧小平、ベトナムのホーチミンらを輩出した。戦後もパリトス・ルムンバ民族友好大学を設立して途上国の留学生を教育していたし、北朝鮮のインフラもソ連製だった。

特に東独の社会主義国はソ連の純正品のようなもので、名実ともにソ連の従属国だった。それゆえソ連崩壊とともにドミノ倒しにならざるをえなかったのである。ソ連と距離を置いていたルーマニアやアルバニアですら、民主化を免れることはできなかった。

一方、アジアの社会主義国、すなわち中国、北朝鮮、ベトナム、ラオスはソ連とともに崩壊しなかった。その一因は中ソ論争に求めるべきだろう。

ソ連は1956年のソ連共産党第20回大会でスターリンを批判し、アメリカとの平和共存路線を採択したが、中国はアメリカに対する反帝国主義を掲げ、ソ連の方向転換を修正主義として批判した。それ以降中ソ両国の対立は決定的になり、論争だけではなく実際の武力衝突にまで及んだ。アジアの社会主義国はソ連と決別し、独自路線を進んだのである。

とはいえ、アジアの社会主義国が一枚岩だったわけではない。その中でも中越戦争などの対立が起きたし、ソ連崩壊後に中国は改革開放という名の資本主義体制へ移行する一方、北朝鮮はマルクス・レーニン主義に代わって主体思想を打ち出すなど、それぞれが独自路線をとったのだ。

翻って戦後日本はアメリカの従属国である。官僚や学者はハーバード大学で名誉白人になって帰ってくる。ソ連は留学生を通じて「革命の輸出」をやっていたが、アメリカもまた留学生を通じて「新自由主義の輸出」をやっているのだ。アメリカの没落が叫ばれて久しいが、このままの日本ではアメリカと共倒れする外ない。我が国も中国に倣い、アメリカ主導の新自由主義に反旗を翻す日米論争くらい仕掛けて然るべきではないか。

第二の教訓――官僚機構は生き残る。ソ連崩壊を機に社会主義国家から民主主義国家、資本主義国家に変わろうが、国家である以上、官僚機構はそのまま変わらずに残る。そもそも「労働者の国」「万民平等」の理念を掲げていたソ連が崩壊した原因の一つは官僚化だ。ソ連共産党は官僚化し、「共産党員に非ずんば人に非ず」と驕り、腐敗した。現在は中国と北朝鮮がその轍を踏んでいるが、社会主義だろうが資本主義だろうが共産主義だろうが、官僚国家である以上腐敗と不平等は免れない。今後、資本主義を超克する別の思想が生まれるかもしれないが、官僚と国家の問題を忘れてはならない。

第三の教訓――国家の原動力はイデオロギーからナショナリズムに変わる。ソ連崩壊後、新たな国家を形成する原動力はナショナリズムだった。ユーゴスラビア紛争、チェチェン紛争、グルジア戦争、ウクライナ危機はいずれも民族紛争である。

仮に中共や北朝鮮が崩壊した場合、ナショナリズムが激化して内に向き、紛争が起きる可能性が高い。仮にそうならず統一民主中国、統一民主朝鮮が維持・形成された場合でも、ナショナリズムは激化して外に向く、すなわち日本へ向く。特に朝鮮半島情勢が緊迫化する今日、我々は中共崩壊以後の中国ナショナリズム、北朝鮮崩壊以後の朝鮮ナショナリズムにどう対峙するか思案しておくべきだろう。

〈ソ連崩壊の遺産〉を忘れるならば、我が国の命運は危うい。

（2017年4月）

〈社会主義国家崩壊論〉Ⅰ

社会主義国家70年崩壊説なるものがある。

1922年12月30日に建国されたソ連はちょうど70年後の1992年12月25日に崩壊した、それゆえ社会主義国は70年で滅びるという説である。

とはいえ、今年9月9日に北朝鮮は建国70年を迎え、社会主義国として最長記録を更新中である。中国は来年10月1日に建国70年を迎えるが、そのまま2049年まで「100年のマラソン」（建国100年で超大国になるという国家目標）を完走できるかは分からない。

中国崩壊論は数十年前から唱えられているが、中国が崩壊するかどうかを問うためには、なぜ中国は崩壊しなかったのかを問わねばならない。この疑問を解き明かすことは、中国や北朝鮮の本質を解き明かすことに他ならない。そうすれば、その崩壊の仕方は自ずと分かるというものだ。〈社会主義国家崩壊論〉を試みる所以である。

ソ連崩壊後、ヨーロッパの社会主義諸国は全て崩壊した。だが、アジアの社会主義国は全て生き残った（中国、北朝鮮、ベトナム等）。これはなぜなのか？

最大の原因は、ソ連との関係だろう。ソ連崩壊に伴ってヨーロッパの社会主義国が崩壊したのは、それらの国々がソ連の衛星国だったからである。ポーランド、ルーマニア、ハンガリー、東ドイツなどは、第二次世界大戦後にソ連の占領を受けて成立した社会主義国だった。ソ連からの軍事的、政治的、経済的援助なしには自立しえないソ連の従属国だった。それゆえ、ソ連崩壊とともにドミノ倒しにならざるをえなかったのである。

一方、アジアの社会主義国が生き残ったのは、ソ連の衛星国ではなかったからだ（モンゴルは除く）。もちろん中国、北朝鮮、ベトナムなどはソ連からの軍事的、政治的、経済的援助をうけていたが、ソ連の影響力は支配力と呼べるほど決定的なものではなかった。

特に1956年、中ソ両国が対米関係の方針をめぐって論争し、中ソ対立が勃発した。中ソは政治的、イデオロギー的対立のみならず、軍事衝突まで起こした。その後、アジアの社会主義国は独自路線を進んだ。それゆえ、ソ連崩壊とともにドミノ倒しにならずに済んだのだ。

アジアの社会主義国が生き残ったのは、ソ連の従属国にならなかったからである。

ここで次の問いが生まれる。それはなぜか？

最大の原因は、地政学的な要因だろう。ソ連はユーラシア大陸の東西にまたがる大国だが、あくまでもモスクワを首都とするヨーロッパの国家である。それゆえ、アジアへの影響力は限られる。

だが、それだけではない。一つの国家がどのように生きて死んでいくかは、その国家がどう生まれたのかに拠る。生まれ方が違えば生き方、死に方が違うのである。アジアの社会主義国がソ連崩壊後も生き残ったのは、ヨーロッパの社会主義国とは生まれ方が違ったからである。だから、生き方が違い、死に方が違うのである。

社会主義国の生まれ方には、三つのパターンがある。

第一は、大衆運動だ。ソ連はロシア革命でロマノフ王朝を打倒して成立し、チェコスロバキアは総選挙によって共産党政権が誕生、一党独裁体制に移行した。

第二は、ソ連による侵略だ。前述の通り、ポーランドやルーマニア、ハンガリー、東ドイツは第二次世界大戦後のソ連占領下で敗戦革命の結果、誕生した。

そして第三は、民族運動だ。中華人民共和国は五・四運動以来の抗日・反帝国主義運動の流れから誕生し、朝鮮民主主義人民共和国は三・一独立運動以来の独立運動の中から成立した。ベトナム社会主義共和国は反仏独立運動、インドシナ独立戦争を経て建国、ベトナム戦争に勝利して統一を果たした。アジアの社会主義国は「社会民族主義国家」なのである。

アジアの社会主義国がソ連の従属国にならず、ソ連崩壊後も生き残ったのは、社会主義が民族主義と結びついていたからである。民族独立のために生まれた国家は、他国への従属を認めず、それゆえ他国とともに滅びることはない。

「北朝鮮は中国の従属国に成り下がっているだろう」という声が聞こえてきそうだが、北朝鮮の独立心は疑うべくもない。アメリカの占領下に産み落とされた従属国家に批判できる筋合いはあるまい。

ここで次の問いが出てくる。それでは、アジアの社会民族主義国家はどう崩壊するのか？

（２０１８年９月）

〈社会主義国家崩壊論〉Ⅱ

前回から〈社会主義国家崩壊論〉を述べているわけだが、うっかりソ連崩壊そのものに触れていなかった。以下、「ソ連崩壊論」を述べたい。

１９１７年、ロシア革命によって世界初の社会主義国としてソ連が誕生してから、社会主義は東西冷戦で世界を二分するほどの力を持った。しかし、１９９２年にソ連が崩壊すると、社会主義も力を失った。それを読み解くキーワードは「イデオロギー」である。

イデオロギーとはもともと「観念学」を意味し、マルクス主義においては「下部構造」に対する「上部構造」を指すが、ここでは「唯一絶対の理念を掲げる思想体系」という意味で使用する。

社会主義はイデオロギーであり、社会主義国はイデオロギー国家である。しかしイデオロギーとは所詮、人間が頭の中で作り上げた理論にすぎない。それゆえ、社会主義は理性の産物にすぎず、社会主義国は人工物にすぎない。歴史的に時間をかけて、ある程度自然に形成された国家とは異質だ。つまり、社会主義国は歴史的な自然性に欠ける「人工的」な国家であり、それゆえに「不自然」な国家だということだ。

イデオロギーに基づいて国家を形成し、運営することは不自然であり、無理がある。ここから社会主義国の歪さが生まれた。その象徴がスターリン主義である。

もともと社会主義は国民が国家に立ち向かう「抵抗の原理」だった。しかし、社会主義国が成立すると、社会主義は共産党が国民を抑圧する「支配の原理」に変わってしまった。

こうして社会主義という、人間を自由にするための思想が、逆に人間を拘束する思想に変わってしまった。自分が生み出したものであるにもかかわらず、自分ではどうにもならない、そういうものが人間にはある。

それまで異端分子として弾圧されていた社会主義者は革命後、自らのイデオロギーに従わない異端分子を弾圧した。過酷な境遇に置かれた被支配者ほど、狡猾な支配者になるものだ。

イデオロギーは唯一絶対の理念を掲げる思想体系であるから、自己の体系から逸脱する異分子の存在を許さない。

それゆえ、社会主義はまず国内の異分子を排除する。ソ連では独裁者スターリンが掲げたイデオロギーに従わない人間が徹底的に排除された。これが悪名高いスターリン主義である。

スターリン主義の特徴は様々あるが、一言でいえば「粛清」と「密告」だ。こうしてソ連は粛清国家、密告社会になったが、粛清と密告で国家社会を維持することはできない。ソ連が自壊した原因はここにあるだろう。

次に、外国の異分子を排除する。そのために社会主義はインターナショナリズムを掲げ、革命の輸出を目指した。ソ連は第二次世界大戦後、赤旗のもとに東欧を侵略して傀儡政権を樹立し、衛星国を増やしていった。だが、これは結局帝国主義にすぎなかった。

特に1956年のハンガリー動乱の衝撃は大きかった。ハンガリー人はソ連による支配を拒んで決起したが、それはソ連軍の戦車によって粉砕された。ソ連が掲げる「支配の原理」である社会主義が、他国の「抵抗の原理」である民族主義を叩き潰したのである。また1955年から始まったベトナム戦争では、ベトナムが血みどろで戦っているにもかかわらず、ソ連や中国は傍観的な立場を崩さなかった。

それゆえ、日本の学生運動では1960～70年代に「反帝、反スタ」（反帝国主義、反スターリン主義）が主流となったが、反帝派と反スタ派に分かれて「反帝、反スタのどちらを優先すべきか」という議論を戦わせていた。

先ほども言った通り、社会主義は異論を持つ異分子を認めないイデオロギーである。それゆえ社会主義は内ゲバを繰り返し、やがて自壊した。

だから結論はこうだ。

唯一絶対のイデオロギーは脆弱である。イデオロギーがどれほど自己の正統性を語ろうとも、所詮は一つの理論にすぎない。そして理論は人間をまとめることはできない。二人ですら意見は一致しないのだから、数百万、数千万の国民の意見を一致させることは不可能である。

イデオロギーは国民統合の象徴になることはできない。そのためには歴史的な自然性、すなわち民族性が必要なのである。


（２０１８年10月）

〈社会主義国家崩壊論〉Ⅲ

これまで〈社会主義国家崩壊論〉を述べてきたが、最後に中華人民共和国の崩壊について考えたい。

まず中国はすでに崩壊過程に入っている。社会主義は資本主義に対抗するために生まれた。そのため、社会主義国家の経済体制は資本主義ではなく統制経済になる。しかし、中国は改革開放以来、資本主義体制に移行している。これは中国の根本的矛盾ではないか。

そうではない。現在の中国の核心は社会主義ではなく民族主義（ナショナリズム）だからである。中華人民共和国は資本主義経済に対抗するためではなく、資本主義経済を背景とした帝国主義に対抗するために誕生した国家である。アジアの社会主義国家が民族独立運動から生まれたことについては、すでに指摘した通りだ。

民族主義と資本主義は矛盾しない。民族主義と共産党独裁も矛盾はしない。だが、共産党独裁と資本主義は矛盾する。つまり、現在の中国は、社会主義と資本主義というイデオロギー上の矛盾ではなく、政治体制（共産党独裁）と経済体制（資本主義）の矛盾を抱えているということだ。上部構造（政治体制）と下部構造（経済体制）がねじれているのである。

共産党独裁にとって資本主義は脅威である。資本主義は統制できないからだ。資本主義が統制できなければ、国民を統制することができない。資本の運動は国民運動に繋がり、国民運動はやがて自由化、民主化のうねりを生み出していく。

実際、アメリカはこう考えた。中国が資本主義化した以上、やがて民主化するだろうと。そして西側諸国の頼もしいパートナーになるだろうと。

だが、その期待は裏切られた。中国共産党は資本主義を逆手にとり、最新のテクノロジーを駆使して社会を統制して国民を監視したからだ。ペンス米副大統領の演説に象徴される米中対立の本質は、次世代テクノロジーをめぐる覇権争いであるが、しかし外圧によって共産党独裁が倒れることはない。アメリカにもそのつもりはない。

ここで〈社会主義国家崩壊論〉の結論を述べる。

社会主義国家が崩壊するのは、共産党が崩壊した時である。共産党が崩壊するのは、共産党内部の権力闘争に軍が介入した時である。今後、中国が崩壊するとしたら、中国共産党が権力闘争を熾烈化していった末に人民解放軍が出てきた時だろう。

だが、その可能性は低いと私は見ている。なぜか。中国共産党、人民解放軍、中国国民、国際社会は現状維持を望んでいるからである。

日米を含む国際社会の願いは共産党独裁を打倒することではなく調整することだ。私自身、いまのままでいいのではないかと思っているが、いずれにせよ、中国の運命は中国の人々が決めればいい。

最後に問題提起をしておきたい。かつて旧ソ連が共産主義インターナショナル（コミンテルン）を組織したように、社会主義はインターナショナリズムである。インターナショナリズムは20世紀に社会主義という形で世界を席巻して猛威を振るったが、それは新自由主義に形を変えて21世紀の現在も続いている。

ソ連崩壊後、共産主義という天敵を失った資本主義は自己を純化していき、新自由主義に姿を変えた。新自由主義もまた地球を席巻して世界各地で猛威を振るったが、いまやそれに対抗する運動が巻き起こっている。EUにおける移民排斥と極右政党の台頭、イギリスのEU離脱、アメリカのトランプ現象などがそれである。

共産主義なきいま、反新自由主義運動はナショナリズムの形を取らざるをえない。ナショナリズムの逆襲である。

つまり、20世紀は社会主義という名のインターナショナリズムとの戦いの時代だったが、21世紀は新自由主義という名のインターナショナリズムとの戦いの時代だということである。インターナショナリズムとの戦いは終わっていない。21世紀のインターナショナリズムに対抗するためには、20世紀のインターナショナリズムを振り返らねばなるまい。こういう問題意識から〈社会主義国家崩壊論〉を論じてきたわけだ。

社会主義国家が崩壊したように、やがて新自由主義国家も崩壊するのかもしれない。そうだとすれば、いつか〈新自由主義国家崩壊論〉を書く機会もあるだろう。新自由主義国家である日本は社会主義国家である中朝を嘲笑っている場合ではない。

（２０１８年12月）

〈新自由主義国家崩壊論〉

平成の始まりは、社会主義の終わりに重なった。平成元年に米ソ冷戦が終結し、平成3年にソ連は崩壊した。この世界的事件は資本主義の勝利、社会主義の敗北と受け止められ、パックス・アメリカーナは永遠に続くと思われた。

しかし、社会主義は資本主義に敗北したのではなく、自己矛盾によって自壊したのだった。また、アメリカは覇権国家の地位を不動のものとしたわけではなく、イラク戦争やリーマンショック、トランプ現象という資本主義の自己矛盾によって没落の一途を辿った。

米ソ冷戦後、30年を経て米中新冷戦が顕在化している。社会主義の自己矛盾による自壊後、30年を経て資本主義（新自由主義）の自己矛盾が顕在化している。これは偶然だろうか。私はそうは思わない。

レーニンは「対立物の統一」と言った。これは弁証法を指すと理解されているが、私は相互依存関係を指すと理解している。そして、最も濃密な相互依存関係とは、敵対関係に他ならない。

興味深いことに、敵対する者同士はお互いにどうしようもなく似てくるのだ。鏡で自分の姿を見つめ続けると他人の姿に見えてくる。同じように、相手の姿を睨み続けると自分の姿に見えてくるのだ。

私の目には社会主義と新自由主義は酷似しており、見分けがつかない。まず社会主義国家と新自由主義国家の本質はいずれも独裁的である。ここでいう新自由主義国家は日米としておく。

新自由主義国家における権力の特徴は一極集中である。一党独裁体制の中国は無論だが、民主主義体制の日米でもそうだ。戦後日本は原則的に自民党一党独裁であり、アメリカは政権交代が起きるが強力な権限を持つ大統領制である。

何より、強権がなければ「抵抗勢力」を打倒し、「岩盤規制」を打ち砕くことができない。仮に中選挙区制であったならば、小泉は郵政解散を行えず、安倍はとっくに引きずり降ろされているだろう。某総理大臣は「民主主義とは期限つきの独裁である」「民主主義とは交代可能な独裁である」と言ったが、これはあながち間違いではあるまい。

また社会主義国家と新自由主義国家では支配者と被支配者が区別されている。ほんの一握りの特権階級が社会的利益の圧倒的大部分を享受し、その他大勢の国民（その大半は自分では中間層だと思い込んでいる貧困層である）が僅かなオコボレを食い合う。新自由主義国家は自由や平等を掲げているが、これはグローバル企業（資本家）が国民（労働者）を搾取する自由であり、グローバル企業同士の競争条件の平等にすぎない。

このような支配者に対して、被支配者は従順である。もはや中国の若者は天安門事件を起こさないし、日本の若者は学生運動を起こさない。

この傾向は特に平成以降の日本で顕著だ。平成の世代は全体的に優等生であり、権威の言うことに素直に従う。それはつまり、権威を疑うことがないということだ。そして、権威とは国家であり、社会である。

彼らは国家社会の教えである自己責任、自己決定という価値観を疑っていないから、国家の欺瞞や社会の矛盾に鈍感である。個々人の悩み苦しみがあっても、その責任や解決を国家や社会に求めない。矛盾を矛盾と感じない矛盾した世代なのだ。彼らにあるのは「闘争」ではなく「競争」である。それゆえ、格差是正を求める政治運動や社会運動はほぼ皆無だ。

だが、このような矛盾には限度がある。それに耐えきれなくなった時、ソ連は崩壊した。同じように、それに耐えきれなくなった時、新自由主義国家は崩壊するだろう。我々は中国崩壊論ではなく〈新自由主義国家崩壊論〉をこそ論じなければならない。

特に新自由主義は労働者階級を搾取しすぎた結果、少子化が進み労働者階級が再生産できなくなっている。そのため、日本も含めて世界中で移民政策がとられたが、その限界はすでにヨーロッパで露呈している。イギリスのＥＵ離脱やトランプ現象も同様の症状だろう。

今後、日本でも新自由主義が行き過ぎた結果、国民の怒りが爆発する日が来るだろう。その「ガス」が最も溜っているのは自衛隊だと思われる。平成以後の時代では、国家社会における自衛隊の存在感が増大するはずだ。

昭和の終わりは社会主義の終わりに重なった。歴史に偶然がないならば、平成の終わりは新自由主義の終わりと重なるのかもしれない。

（２０１９年１月）

第十章 コロナ論

2019.	12	中国武漢で原因不明の肺炎患者確認
2020.	01	国内初の感染者を確認
	02	国内初の死者を確認
	03	WHO「パンデミック」認定
	04	緊急事態宣言発出
		国内感染者 1 万人突破
	09	連載「突破者の遺言」中断
	10	国内感染者 10 万人突破
2021.	01	緊急事態宣言発出
	04	国内感染者 50 万人突破
		緊急事態宣言発出
		国内死者 1 万人突破

コロナ危機と〈死の問題〉

世界中がコロナ騒ぎだ。寝ても覚めてもコロナ、どこもかしこもコロナ、猫も杓子もコロナのご時世だ。海外では猫もコロナにかかったというから、そのうち杓子もコロナにかかるかもしれない。そんな冗談も通じないほど現在の社会はヒステリックになっている。コロナショックというよりコロナヒステリーだ。

結果、欧米では西洋人が東洋人を差別し、アジアでは東洋人がお互いに差別するという醜態を晒している。国内でも電車で咳き込んだ奴と乗客が喧嘩になったとかトイレットペーパーが買い占められたとかいう珍事が起こる始末だ。

もっとも文明がいくら進歩しようとも、その上っ面を一枚めくれば、人間は相も変わらず馬鹿な生き物であって、自分もその一匹である以上、いまさらその馬鹿さ加減には腹も立たない。

だが癪に障るのは、今回のヒステリーがヒューマニズムで偽装されていることだ。コロナが世に出始めた当初はどうせ対岸の火事だ、他人事だと高をくくって悠長に構えていたくせに、いざ自分の尻に火がつき始めるや、途端に人類愛に満ちあふれたヒューマニストに豹変する連中が多すぎる。

巷では「一人一人ノ行動ガ生命ヲ救イマス」だの「一致団結シテ感染拡大ヲ防ギマショウ」だのという清く正しく美しいスローガンが大手を振っているが、その美辞麗句の下にあるのは詰まるところ「俺にうつすな」というエゴイズムである。

わが身可愛さだ。わが身が可愛いからこそヒステリーを起こしもするのだ。ヒステリーの原因は恐怖だ。何が怖いか。他人が死ぬのが怖いのではない、自分が死ぬのが怖いのだ。

もちろん人間誰しもわが身が可愛い。可愛さあまって外国人を病原菌扱いしたり、マスクをしていない同胞を非国民扱いすることもあるだろう、それもやむをえまい。人間はわが身が可愛くて仕方がないエゴイストなのだから。だが、そういうエゴイズムが、そこから発するヒステリーがヒューマニズムの皮を被っているのが、とにかく気に入らない。

こういうヒューマニズムは行き過ぎるとファシズムになる。清く正しく美しい善良な人間だけが「まともな国民」で、それ以外は「非国民」だという同調圧力が強まる。コロナヒステリーを機に、健康的にも衛生的にも「キレイな社会」を求める傾向は強まるだろう。

喫煙者は重症になりやすいというから、健康ヒューマニズムの中から禁煙ファシズムが台頭してくるかもしれない。私はコロナが蔓延している汚い社会よりも、煙草もロクに吸えない「キレイな社会」の方が嫌である。

もちろん私なんかは大病をやってからずっと体調が悪い高齢の喫煙者である。コロナにかかったら一発でお陀仏だから喫煙を自粛しろなどと要請されることもあるが、余計なお世話だ。

どうせ人間は生まれた以上は死なねばならぬ。コロナで死のうが助かろうが、いずれ死ぬ。みんな死ぬ。私も死ぬ。あなたも死ぬ。そこには早いか遅いかの違いがあるだけだ。永遠の命はない。

〈死の問題〉はいまさらコロナ危機で始まったわけではない。常に存在するのである。だから、いま問題なのはコロナで死ぬかどうかではない。自分がどう死ぬか、どういう死に方をするかである。死生観なんて大げさなものではないが、私の心中にあるのはコロナで死ぬかもしれない恐怖心ではなく、この期に及んで煙草も吸わずに死ねるかという反発心だけだ。

それでは、私はどう死ぬか。そんなこと分かるものか。自分がどう死ぬかが問題だなどと言っておいて恐縮だが、人間は生まれ方も選べないように死に方も選べない。そんなことを考えても、考えれば考えるほど分からなくなるだけだ。だから私はもう考えない。いつ死のうが、「ここまで生きたらいつでもいい」と気楽に過ごすだけである。

だが、これは私が老いたからではない。数十年前から郷里に自分の墓は作ってある。いつ死んでもおかしくないから――というより当時はいつ殺されてもおかしくないという状況だったが――いつ死んでもいい覚悟だけはしておきたかった。その覚悟として、一族郎党の菩提寺に「宮崎学之墓」を建てたのだ。

それから自殺を試みたり拳銃で撃たれたりしたこともあったが、不思議とこの年まで生きてきた。まあ生きるだけ生きるだろう。いまでもいつでも死ぬ覚悟はできているが、それでもコロナ如きで死ぬ気は更々していない。

（２０２０年４月）

〈この国は変わらない〉

近頃、頻りに「ポストコロナ」が語られている。コロナを機にこの国の在り方は大きく変わるはずだということだ。しかし私はとっくの昔に絶望し切っているから、コロナでも〈この国は変わらない〉と思っている。結局、日本人は何も自覚せず、元の木阿弥だろう。

日本人には危機を自覚するということがない。危機を自覚できるならば変わりようもあるが、そうでなければ変わりようがない。だからより悪くはなるが、良くなることは決してない。それがこの国のありようだ。

3・11でもそうだった。当時、私はこれで変わるかと思ったが、何も変わらなかった。むしろその結果、民主党政権よりも酷い安倍政権が史上最長の政権になり、より悪くなったのである。

今回も同じだろう。コロナショックというが、もはや日本人の感性はショックすら感じられないほど鈍っている。結局、日本人は無自覚のまま何となくコロナをやり過ごして終わるだろう。数年もすれば、コロナのことなどすっかり忘れ去られているのではないか。

なぜ日本人は危機を自覚しないのか。その方が得だからである。危機を自覚したら立ち上がらなければならないが、それは損だ。権力からは睨まれ、世間からは村八分にされる。だから危機に直面した時は見て見ぬふりをして、長いものに巻かれた方がいい。もちろん完全には無視できないから多少嫌な気はするが、直視するよりはマシだし、何より目を背けた方が自分の身は安全である。それが日本人の生き様だ。無難こそがわが国の〝正義〟だ。

なぜこれほどの負け犬根性が染みついたのか。それは歴史から来るものだろう。日本では歴史上、権力に支配される側は常に無力だった。民衆の反乱は不発に終わり、世の中をひっくり返すことができた例はない。

あるいは無難な生き方を許さない「神の目」という超越的な価値がないことも関係しているかもしれない。日本人には「世間の目」という世俗的な価値しかない。だから空気に支配されるのだ。

いずれにせよ、民衆が生き延びるには現状に甘んじるしかない。大人しくしていれば、たとえ不味くて少なかったとしても、エサにはありつける。牙を剥いてエサをもらえなくなるよりも、尻尾を振ってエサをもらった方がいい。他の国では「こんな国はもう嫌だ」「これ以上は我慢がならない」と民衆が立ち上がる。どの国もそれを繰り返して歴史を作ってきたのだ。

しかし、日本ではそういう事態まで至らない。民衆が徹底して権力との対立を避けるからだ。決定的な対立まで踏み込んでしまったら衝突するしかないが、その結果は目に見えている。だからこそ、民衆は死力を尽くして対立軸をうやむやにし、何としても権力となあなあの関係を維持しようとする。

敗戦時もそうだ。「鬼畜米英」と叫んでいた日本人はアメリカに抵抗する道ではなく、むしろ「ギブ・ミー・チョコレート」と言ってアメリカに迎合するを選んだ。長いアメリカに巻かれていれば命は助けてもらえたし、冷戦のオコボレももらえたのだ。戦前戦後で支配者は軍部からアメリカに変わったが、支配者と被支配者の関係自体は何も変わらなかった。

確かにアメリカの支配は割合に温情的だった。占領は間接統治だったし、民主主義的な振りもしていた。一部の米兵は乱暴狼藉を働いたが、ソ連や中国のように国家的な乱暴狼藉はなかった。だが、仮にソ連や中国に支配されていたとしても、日本人は立ち上がらなかったのではないか――こういう疑問が頭をよぎるほど、私はこの国に絶望し切っている。

もちろん時々は無難な生き方を潔しとしない正義漢や権力の言いなりになってたまるかという天邪鬼も出てくる。だが、そういう連中は常に少数派に取り込まれる。そして少数派は多数派を目指した瞬間から堕落する。この国の多数派を取り込むためには、うやむや主義に屈しなければならないからだ。

この国が変わることはない。少なくとも内在的な要因で変わることは絶対にない。計算外の外在的な原因で変わることはあるが、それは権力者の顔が変わるだけで、民衆が変わることはない。彼ら、常民は永遠のうやむやの中に生きている。

しかしそれももう限界だ。もはや日本はアメリカを含めて他国から喰い物にしか見られていない。コロナで唯一の国力である経済力もガタ落ちする。このままでは国が滅ぶだろう。いっそ滅びればいい。鬼が出るか蛇が出るかは知らないが、その先に何かあるだろう。この国に希望があるとすれば、その先にしかない。

（２０２０年5月）

〈命を張る〉という感覚

新型コロナが流行してから気分が悪い。別にコロナが怖いわけでもないし、自粛に疲れたわけでもない。コロナを機に社会的に「命は大事だ」という空気が強まり、それが梅雨の湿気のように身体に纏わりついてくる感じがするからだ。

もともと私は「命は大事です」という言葉が気に入らない。「命は大事ではない」と言いたいわけではない。こういう正論が全て気に入らないだけだ。

正論には、「自分は正しい」という無邪気なエゴが隠れているが、無邪気なエゴほど邪悪なものはない。正論を聞かされる度に、その背後に通奏低音のように響いているエゴのノイズに耳が痛くなる。正論は耳障りである。

「命は大事です」という言葉にリアリティも感じられない。生きていれば人間の生き死にに関わることもあるし、時には殺し殺される場面に遭遇することもある。そういう劇的な経験を繰り返していくと、「イノチハダイジデス」という言葉の意味が皮膚感覚で分からなくなってくる。

私は若い頃、学生運動に明け暮れていた。毎日のように殴り合っていれば、いつか相手に殺されるかもしれないし、逆に相手を殺すかもしれない。だが、恐怖心はほとんどなかった。「自分が死んでも許さない」と「相手を殺してでも許さない」は表裏一体で、自分の命も相手の命も軽かった。「自分は20代で死ぬんだろうな」と自然に思っていた。

当時の私はいつも居合用の木刀を振り回していた。ある時、大学構内で抗争相手の頭を木刀で殴っていたら、見知らぬ教授が「やめなさい。それ以上やったら死んでしまう。死んだらどうするのか」と止めに入ってきた。私は「先生、死んだらあの世へ行くだけですよ」と言った。教授は狐につままれたような顔をしていた。

命を大事にするという感覚はいまでもよく分からないが、命を使う、もっと言えば命を賭ける、〈命を張る〉という感覚はよく知っている。これは政治家が多用するような大げさな比喩ではなくて、単純に命を含む肉体を危険に晒す感覚という意味だ。

3人で50人の集団に囲まれた時、本能は「逃げたい！」と叫ぶが、性格は「やってみようぜ」と囁く。逃げるのは卑怯だというのではない。ただ単にそっちの方が面白そうな気がするだけだ。それで自分の生命を含む肉体をチップとしてテーブルの上に差し出してから、死に物狂いでそれを取り返そうとするのだ。

命を賭けるとか命を張るというのは、命をチップにギャンブルするということだ。これが最高に楽しい。集団同士が対峙して殴り合いが始まる5秒前の緊張感など堪らない。麻雀やカジノ、競馬でカネを賭けるのも楽しいが、喧嘩で命を張るのが一番楽しい。もっとも双方の合意がないまま、あっという間に命のやり取りになる場合もあるのだが。

ただかったるいのは、人間古希を過ぎれば思うように身体が動かなくなることだ。老いれば、ものの見方も変わってくる。

昔は社会に対する怒りを抱え、「日本は変わるべきだ」とか「革命を起こさねばならぬ」という理想や大義名分のために命を張っていた。しかしいままでは社会に対する怒り、すなわち社会的な怒りはほとんど感じえなくなった。相変わらず世間では様々な問題が起こっているが、身勝手な悟りというか「好きにしろよ」という突き放した見方になった。

理想や大義名分も生き死にの問題ではなくなった。それらはもともと自分の嫌いな正論の一種だから、「べき」とか「ねばならぬ」に嫌気が差して、そういう社会的な旗はすっかり捨ててしまった。

しかし、ここで一つの矛盾を抱え込んだ。一方には、このまま老いさらばえて死ぬことになるだろうという諦念がある。しかし他方には、このまま死んで堪るか、もう一度命を張ってやろうという気分がある。だが、命の張り方は自ずと変わってくるようだ。今後、仮に私が命を張るとすれば、それは全く個人的な理由による。個人的な怒りや好き嫌いに従って行動することになるだろう。

しかし今現在、私は自分自身の中に命を張るべき対象を見出しえていない。それを見出しえないもどかしさとともに、それを見出してしまう怖さも感じているが、実際にどうなるかは死ぬまで分からない。

（２０２０年６月）

あとがき

本書は『月刊日本』2014年12月号から2020年8月号まで連載した「突破者の遺言」をまとめたものである。

自分から連載を終わらせるつもりはなかったが、2020年の秋から体調不良で連載を中断したところ、結果的に2020年9月号に掲載した「〈反米反中〉で生きろ」（本書176頁）が最終回になった。

担当編集者は「次世代に言い遺すメッセージとしては最高の内容ですね」などと軽口を叩くから、余計なお世話だと舌を鳴らしたが、いまでは案外そうかもしれないなという気がしている。

連載を終えてからは社会の片隅から世相を眺めてきたが、世界と日本はいよいよ混迷を深めている。まさに〈カオスの時代〉

だ。こういう時代に、個人はどうすべきか。本書に採録しなかった連載原稿の中で、こう書いたことがある。

《だが、私は中途半端な処方箋を模索するより、ただただ無気力感に襲われて白ける方がいいのではないかと思い始めている。

共産主義運動に身を投じ、その後共産党を見限った者としては、革命だろうが政治改革だろうが、何か人為的に新秩序を構築するという発想そのものに嫌気が差している。

それは間違ったことではないか。カオスの流れを止めることはできない。人間の分際では、カオスに身を委ねるしかないのかもしれない。

無論、私とて完全な無気力状態に陥り、物事に対して白け切っているわけではない。そうであれば、『月刊日本』で連載などしてはいない。

だが、何事かを成し遂げようと情熱を燃やし、何らかの行動に意識的に取り組んでいるわけでもない。

もちろん、安倍晋三やトランプのような気に入らない奴が出てくれば反射的に「この野郎！」と拳を固めるが、それ自体にも虚しさを禁じえない。

この虚しさはどこから来るのか。どうやらこの歳になって感じる世界観、人間観から来るらしい。世の中は流れるべくして流れていく。なるようになる。人間の思い通りに世の中は変えられない。幸か不幸か、人間はそんなに偉くないのだ。

しかし世界観や人間観は個々人の趣味だ。好きな生き方を選べばいい。だが、全ての世界観や人間観を超え、全ての人間に当てはまることがある。死だ。私はいかに滅ぶか。これが人類の普遍かつ最大の問題である。

政治を変えようと努力するもいい、変わらないと白けるもいい。だが、政治を否定する前に、まず自らを否定しなければならない。

カオスへ向かう世界に生きる我々に求められているのは、政

あとがき

治的混乱に右往左往する前に「私は死ぬのだ」という事実を思い知ること、これである。》（2017年5月）

こんな時代だが、平和な時代だろうが戦乱の時代だろうが、秩序の時代だろうがカオスの時代だろうが、人間は死ぬ。どんな時代でも、人間はその事実から生を立ち上げるしかない。そして、どうせ死ぬ人生をどう生きるかは自由だ。そこに人間の自由がある。私の遺言が読者にとって死を見つめ、自由に生きようとするきっかけになれば、それに優る喜びはない。

いままでも6年近く遺言を連載した自分には苦笑するが、それだけ遺言を連載させた『月刊日本』編集部にも呆れている。まだ書きたいことは残っているが、ここまで書けたことにも満足している。

この間、世話になった『月刊日本』主幹の南丘喜八郎と副編集長の杉原悠人、友人の青山敬子に感謝したい。

令和三年五月　宮崎学

宮崎学（みやざき・まなぶ）
１９４５年、京都府生まれ。早稲田大学中退。在学中は日本共産党民青系のゲバルト部隊に所属する。週刊誌記者を経て、実家の建築解体業を継ぐ。１９９６年、自身の半生を描いた『突破者』で作家デビュー。『近代の奈落』（幻冬舎アウトロー文庫）、『談合文化論』（祥伝社）、『暴走する世界の正体』（ＳＢ新書、共著）など著書多数。

突破者の遺言

2021 年 7 月 21 日　第 1 刷発行
2021 年 8 月 6 日　第 2 刷発行

著　者　宮崎学
発行者　南丘喜八郎
発行所　株式会社　ケイアンドケイプレス

〒１０２－００９３
東京都千代田区平河町２－１３－１
読売平河町ビル５階
ＴＥＬ　０３－５２１１－００９６
ＦＡＸ　０３－５２１１－００９７
印刷・製本　中央精版印刷　株式会社
乱丁・落丁はお取り替えします。

ISBN　978-4-906674-79-4
2021 Printed in Japan